新事業創造のためのの発想法

素人発想・玄人実行にもとづく ブレインマップの手法

境 新一・谷 真哉・榎本 正［著］

文眞堂

▼新事業創造，発想法，ブレインマップをつなぐ体系／第Ⅰ・Ⅱ・Ⅲ部の関係構造

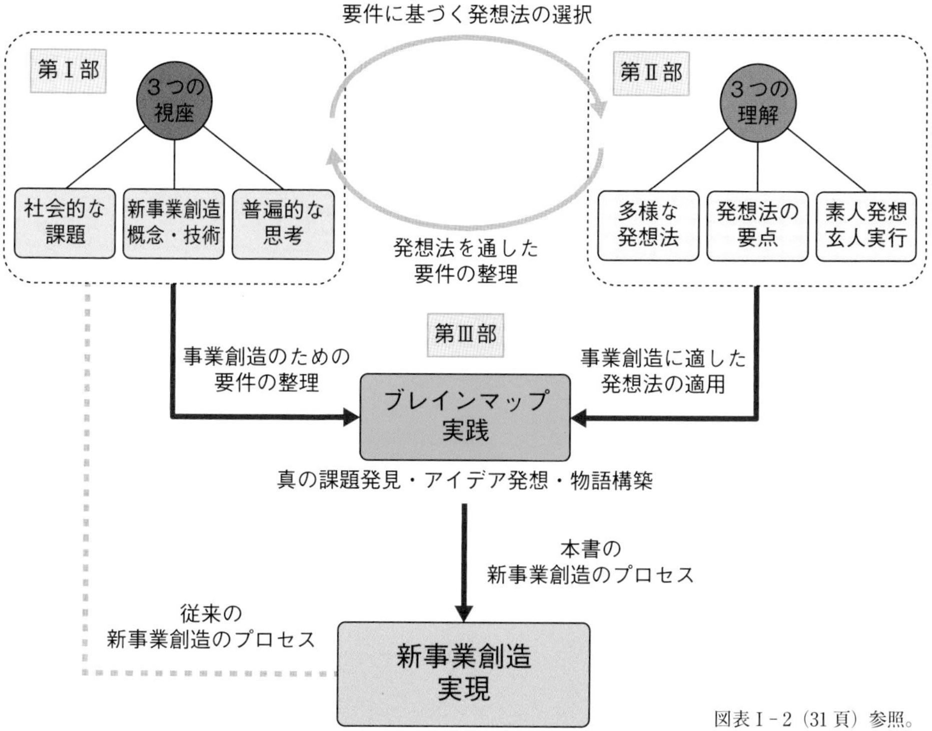

要件に基づく発想法の選択

第Ⅰ部
3つの視座
社会的な課題
新事業創造概念・技術
普遍的な思考

第Ⅱ部
3つの理解
多様な発想法
発想法の要点
素人発想玄人実行

発想法を通した要件の整理

第Ⅲ部
事業創造のための要件の整理
事業創造に適した発想法の適用
ブレインマップ実践
真の課題発見・アイデア発想・物語構築
本書の新事業創造のプロセス
従来の新事業創造のプロセス
新事業創造実現

図表Ⅰ-2（31頁）参照。

▼「課題の発見」のブレインマップに関する概要図

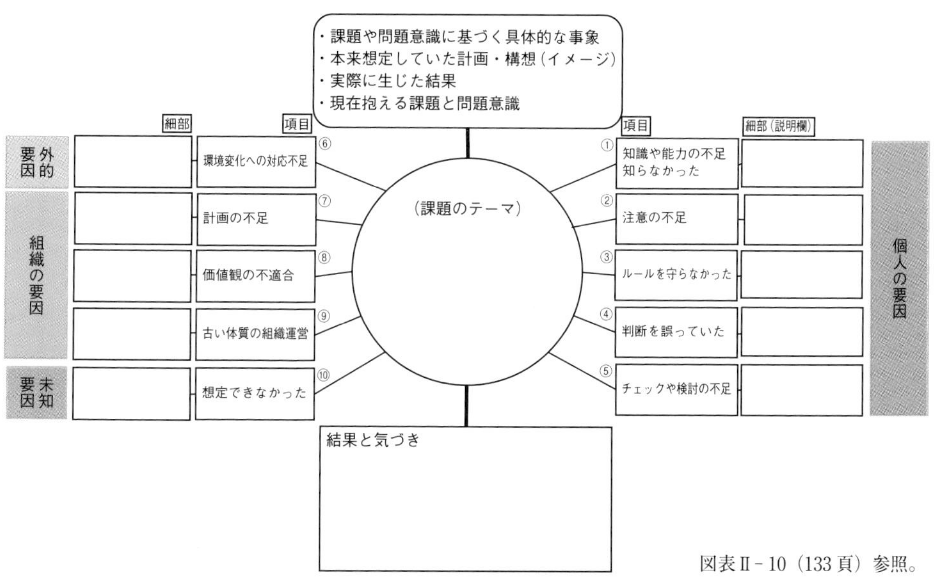

図表Ⅱ-10（133頁）参照。

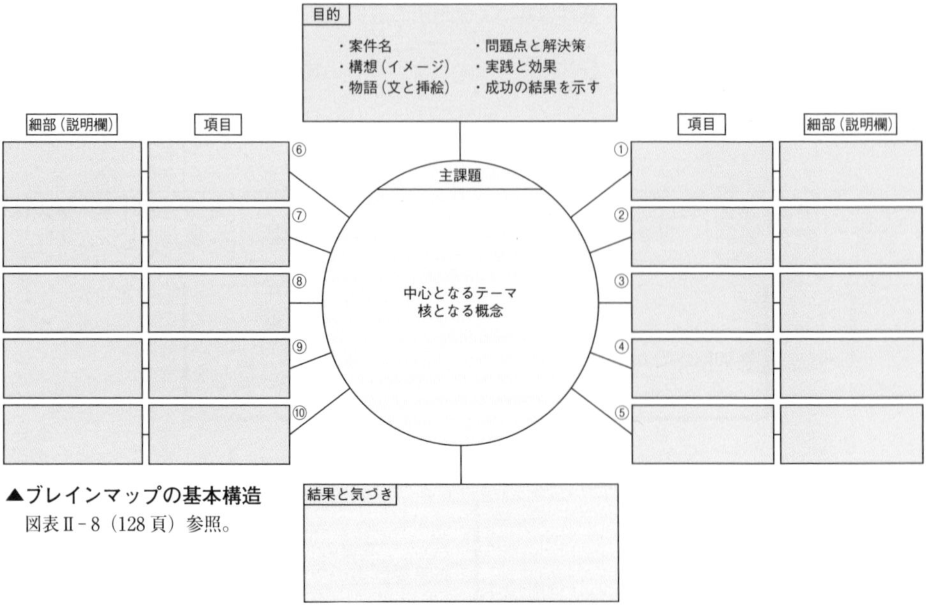

目的

・案件名　　　　　　・問題点と解決策
・構想（イメージ）　・実践と効果
・物語（文と挿絵）　・成功の結果を示す

細部（説明欄）　項目　　　　項目　細部（説明欄）

⑥ ⑦ ⑧ ⑨ ⑩　　主課題　　① ② ③ ④ ⑤

中心となるテーマ
核となる概念

結果と気づき

▲ブレインマップの基本構造

図表Ⅱ-8（128頁）参照。

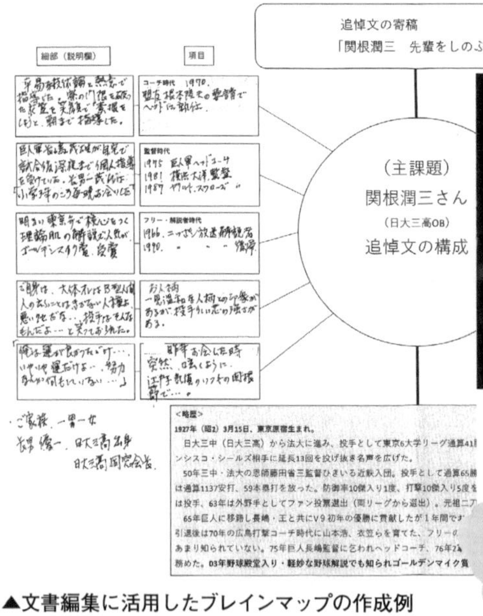

追悼文の寄稿
「関根潤三　先輩をしのぶ」

2020.10

細部（説明欄）　項目　　　　項目　細部（説明欄）

（主課題）
関根潤三さん
（日大三高OB）
追悼文の構成

コーチ時代　1970.

監督時代
1975　巨人軍ヘッドコーチ
1981　横浜大洋 監督
1987　ヤクルト・スワローズ 〃

フリー・解説者時代
1966. ニッポン放送 解説者

お人柄

・ご家族　一男一女

<略歴>

1927年（昭2）3月15日、東京原宿生まれ。

日大三中（日大三高）から法大に進み、投手として東京6大学リーグ通算41
ンシスコ・シールズ相手に延長13回を投げ抜き名声を広げた。

50年三中・法大の恩師藤田省三監督ひきいる近鉄入団。投手として通算65勝
は通算1137安打、59本塁打を放った。防御率10傑入り1度、打撃10傑入り5度を
は投手、63年は外野手としてファン投票選出（両リーグから選出）。元祖二刀
65年巨人に移籍し長嶋・王と共にV９初年の優勝に貢献したが１年間で
引退後は70年の広島打撃コーチ時代に山本浩、衣笠らを育てた、フリーの
あまり知られていない。75年巨人長嶋監督に乞われヘッドコーチ、76年2
務めた。03年野球殿堂入り・軽妙な野球解説でも知られゴールデンマイク賞

追悼　先輩 安らかに

関根潤三先輩　お疲れ様でした

日本プロ野球界の先達として、数々の記録を打ち立てた関根潤三先輩が去る4月9日92歳で逝去されました。偉大なる大先輩の訃報に接し、第三学園同窓会一同、ここに心より哀悼の意を捧げます。

関根 潤三
せきね　じゅんぞう

©サンケイスポーツ

旧制日大三中出身（昭和18年度卒）の野球人として球界に貢献された関根潤三先輩が、今年4月9日に逝去された。享年92歳。現役時代は近鉄、巨人で投手と野手の元祖・二刀流で活躍。両リーグからオールスターに選出された。指導者として広島と巨人でコーチ、大洋とヤクルトで監督をつとめた。野球解説では明るい東京弁で核心をつく理論肌の解説者だった。平成15年には、三中、法政大学、近鉄と同じ道を歩まれた盟友根本陸夫先輩に続き、野球殿堂入りを果された。

昭和14年入学の関根先輩の三中時代は戦争の時期に重なる。ご自身が主力になる頃には野球は敵性スポーツとされ、大会は中止となり他校の野球部は次々に廃部となった。その失意はいかばかりであったか。今コロナ禍で甲子園がなくなった現役の皆さんにも想像がつくところだろう。そんな状況下でも三中野球部は練習を続けた。理事長鎌田彦一先生は部員を集めて、「甲子園は目標ではあるけれども、大目的は野球を通じて人間をつくること」と話され、例年通り合宿練習を続けた。世間の風当たりも強くなる中、鎌田先生といい練習を続けた関根先輩といい、心から野球を愛されていたのだろう。関根先輩は「あの時廃部になりボールを握っていなかったら、今日の関根はなかった…」と学校への謝恩の念を、ことあることに話されていた。

関根先輩が4年生の時、三中野球部が多摩川の巨人軍合宿所近くの球場で打撃練習をしていると、沢村栄治さん（巨人投手、戦死）に「君、大学どこに行くの？　素質があるからしっかりやりなさい」と言われた。「あの大投手沢村さんの一言で自信を持つことができた。この一言がなかったら僕の人生は大きく変わっていたかもしれない。後に思ったけれど、指導者の一言は重いね…」。

戦後、法政大学に進んだ関根先輩は、六大学選抜のエースとして来日したサンフランシスコ・シールズと対戦。プロチームが全敗する中、2対4で敗れはしたものの延長13回を投げぬき日本人唯一の完投だった。戦前、沢村栄治投手がベーブ・ルースなど大リーグ相手に好投したこと

▲文書編集に活用したブレインマップの作成例

図表Ⅲ-3（164頁）参照。

▶ブレインマップを活用して実際に寄稿した追悼文

図表Ⅲ-4（165頁）参照。

はじめに

2020年以来，現在まで，世界は今までに経験のないパンデミック，新型コロナウイルスの脅威，有事に直面しており，一説に，それは収束はせずに，インフルエンザのように型を変え流行するともいわれている。その結果，行政，医療，学校，企業支援，デジタルネットワークなど社会システムの脆弱さが明らかになった。ワクチンや薬が開発されても対応に絶対はありえず，先を見通せない感は免れない。あらゆる産業で企業の規模を問わず，既存事業の不振から新規事業へのシフトを進めるも，企業の苦闘は続いている。私たちは正解のない問いに，常に自ら解をつくらねばならない状況にある。

この間，大学では対面講義，教室での講義が不可ということで，遠隔講義のZOOM（中継型）やYouTube（事前収録型）などで対応した。しかし，やはり対面に勝るものはなく，大学の使命は何かを自問自答することも少なくなかった。

さて，本書はウィズ・コロナ，アフター・コロナ社会における私たちの価値観，行動などの変革をふまえて，私たちが直面する課題を解決すべく，現在から過去ならびに未来を見据え，原点回帰と創造のための新たな発想法，アイデアづくりを提案することを目指すものである。

本書でとりあげる発想法，ブレインマップについて特筆すべきことは，成城大学が生涯学習支援講座として展開する「成城学びの森コミュニティーカレッジ」が起点となっていることである。そして，本書の執筆者は，私（講師），当講座を長年受講されている元企業経営者の榎本正氏，大学院生の谷真哉氏との継続的なディスカッションによって考案された発想法，ブレインマップを提起していることに特徴があるといえる。

本書の構成は第Ⅰ部新事業創造，第Ⅱ部発想法，第Ⅲ部ブレインマップの実践，おわりに，から構成される。

まず第Ⅰ部新事業創造の基礎　は本書の主目的である新たな事業を創造するために，その基礎になる知識，着眼点，留意点を述べている。

次に第Ⅱ部発想法　は，具体的なアイデア発想法としてこれまでに開発された様々な方法論と初めて提起するブレインマップの理論，運用枠組みを述べている。つづく第Ⅲ部ブレインマップの実践　はブレインマップを使用した事例を述べている。なお3名による執筆分担については巻末を参照されたい。

読者の方は，本来，新事業創造を発想ならびに実行・実装，つまり実現するためには，第Ⅰ部の知識をふまえて第Ⅱ部，第Ⅲ部のブレインマップの実践に至る展開が理解しやすい流れである。新たな事業創造のための発想法という意味では，経済，経営，ビジネスの分野に中心を置くことになる。ただし，新事業創造に限らず，広く一般的にモノ，コトに関するアイデア発想ならびに実現を目指すならば，第Ⅰ部を飛ばして，第Ⅱ部，第Ⅲ部からご覧いただくのでも役立つものとなろう。その意味で，本書は，研究・実務，ジャンルを問わず，広く活用されるものと考える次第である。

本書を集約すれば次の通りである。持続可能な企業は，試行錯誤を経ながら，事業創造の成功確率を上げ，失敗を巧みに補填する力をもつ。そしてブレインマップは，素人発想・玄人実行，失敗要因の構造化，成功への転換を促す発想と形式知化，情報／論点の一覧性，原点回帰，未来から現在へのバックキャスト，物語構築，代替案のレイヤー化と柔軟な切り替えに特徴があり，その主な活用目的としては，①発想集約 ②情報整理 ③教唆・気付きの3つがある。

「成城学びの森講座」は継続的な生涯学習の機会を提供している。講座では，講師が話題を提供するにとどまらず，受講者との対話，議論が毎回刺激的で意義深いものとなる。まさに学びの森は，講師，受講者の別なく，学び合いの場であり，コミュニティといえよう。

私自身は2008年から当講座を担当させていただき，これまで15年間に延べ300名を超える受講者に出会った。受講者とのコミュニケーション，そして何よりも私自身が得たもの・学びは想定を遥かに超える大きなものであった。最長で10年間継続して受講されている人，現役の社長，サラリーマン，東証第1部上場企業の元社長や取締役，技術研究所の元所長，元キャリア官僚など，通常では会うことのない方々との貴重な出会いもあった。私の講座を受講したことが縁となって，大学院に進学されるケースも複数できた。

ただ，最近2年間は直接対面する教室では開講できず，これに代わってオンデマンド型，遠隔形式で受講していただく形に変化した。近隣在住の受講者には当初は直接対面でないことに戸惑いもあったものの，一方，平日夜間に対面形式で参加が難しい社会人には自由に視聴できるオンデマンド型に支持が集まった。またZOOMなどを使用して，講座に関する番外編である交流会を新たに企画することになった。

ちなみに，直近2年間の講座テーマは以下の通りである。

・2020年秋冬講座：「新事業創造のためのプロデュース手法―ポスト・コロナにおけるアイデア発想―」
・2021年春夏講座：「原点回帰と創造のための発想法入門―現在・過去・未来の事業視点から―」
・2021年秋冬講座：「ポスト・コロナにおけるSDGs／DXの展開と新事業創造―ブレインマップを活用して―」
・2022年春夏講座：「失敗から成功への転換と新事業創造のための物語構築手法」

ブレインマップ自体は，2010年頃から講座内で議論にとりあげられてきたものの，研究対象としては2018年（4年前）から本格的に着手し，展開が加速していくうちに，金出武雄氏らが言及する，素人発想・玄人実行，それも物語を描きながら多様に発想し，確実に実行していく形で構想することとなった。対当事者との絶えざるコミュニケーション，なぜなぜ5回に代表される問い続けが，いずれもブレインマップの要件と認識された。

次に，ブレインマップの体系に失敗や成功の要因に関する構造分析と全体の可視化を折り込むことにした。これは畑村洋太郎氏が説いた失敗の構造を分析し，構造化するとともに，その要因間の関係を明らかにし失敗まんだらに可視化すること，失敗を繰り返さずに必ず成功への転換を図る提案に触発されたものであり，それとの関連性が深い。また，アイデアは最後に登場したものが最高・最適とは限らず，実行の途中でも採用したアイデアを変える必要も生じる。こうした時，改めて新たなアイデアを1から構築し直すのではなく，ここまで時系列に蓄積（層化・レイヤー化）してきた様々な代替案について再度，比較検討することを通して，より円滑で柔軟な軌道修正を図ることが可能となる。これについては，エリック・リース氏が唱えた無駄のない（リーンな），効率的なアイデアの軌道修正ならびに短期間で意思決定を行うことの必要性との思考が参考になった。私見では，この３名の示唆には，ネットワーク，意思決定の重要性が背景にあり，これはプロデュース，プロデューサーの要件とも重なるものであった。

最後にブレインマップの実践事例については，この２年間に多数の学生や社会人にご協力をお願いして，複数の対面形式・演習（非常勤講師をつとめる他大学）ならびに遠隔形式（本学や学びの森を含む）で経験知を増やしていった。

現在から過去ならびに過去から未来を見据えて，未来の目標から逆算することは決して容易なことではない。しかし，上記の行為を経て，現在なすべきことも見えてくる。以上を踏まえ，ブレインマップが今後，試行錯誤を経て広く人々の使用に耐えるツールになることを期待したい。「検討させていただきます。」という回答は，ビジネスや政治・行政の世界では「明確な回答の先送り」「現状を変える意思不在」「実質的な検討なし」を意味することも少なくない。特に既得権益や現状変革を嫌う組織の経営者，組織幹部などに頻繁に使用される傾向があり，私たちはこうした人たちのことを「検討士」（「遣唐使」を重ねた洒落）と呼ぶことにしている。とにかく評論や先送りは不要であり，実行あるのみである。

世の中でパーパス経営という企業の存在意義論，新たな概念が登場している。論者によれば，コンピテンス（機能），大義（至高の目的，善），文化が企業の存在目的の主要な構成要素であるという。

新たな概念は時として従来の概念の組み合わせ，言い換えにすぎず，徹底した対話を通して既存の概念を再検証するだけでも十分有益である場合も少なくない。やみくもに流行の概念に飛びついても課題解決にはつながらない。新たな概念提起は，真に当事者である個人や組織にとって創造と変革に役立つものでなければならない。

私たちが最も留意すべきことは，人，特に経営トップがもつ志と情熱（パッション）の意義，そして十分時間をかけた上記要素の醸成である。物事はすべて一朝一夕には実現しないのである。

2021 年には，特筆すべきニュースがいくつかあった。感染拡大の続く日本で，延期されていた東京オリンピック，パラリンピックが無観客で開催された。スポーツ界では，アメリカで男子ゴルフ海外メジャー大会「マスターズ・トーナメント」で松山英樹選手が日本人として初優勝し，また同大リーグ MVP に日本の大谷翔平選手が選出された。一方，学界では，二酸化炭素濃度の上昇が地球温暖化に影響する予測モデルを世界に先駆けて発表した，プリンストン大学上級研究員・アメリカ国籍の真鍋淑郎氏がノーベル物理学賞を受賞した。

2022 年に入り，スポーツ界では北京で冬季オリンピックが開催され，将棋界では藤井聡太竜王が王将を奪取して五冠を達成し，最年少記録を更新した。

そしてここにきて，世界を震撼させるロシアのウクライナ侵攻，戦争が勃発した。SDGs，パンデミックに，平和と均衡という，世界有事に新たな難しい要因が加わったといえる。戦争，騒乱は長くその影響が残ることを歴史は教えており，解決すべき社会的課題は難化の一途を辿っている。世界では新たな価値創造が早急に求められる状況にある。その意味で本書の提起する新たな発想法，ブレインマップの活用場面が一層増えることを願う。

最後に，本書刊行にあたり，議論・資料のご提供にて多大なるご支援を賜った学びの森・境講座の関係者，交流会の参加者，特に福永泰，齊藤和孝の両氏，そしてブレインマップの実践事例にご協力をいただいた学生諸君，社会人の皆様に深く感謝申し上げたい。また再三の原稿修正を厭わずに対応くださった，谷，榎本の各氏に感謝するとともに，長期間にわたり本文等の編集において多大なるご支援を賜った文眞堂の代表取締役社長・前野隆氏，専務取締役&編集部の前野眞司氏にここに改めて厚く御礼申し上げる次第である。

2022 年 6 月

境　新一

目　次

第Ⅰ部　新事業創造の基礎

【概要編】

【注目の書籍　解題編】

第Ⅱ部　発想法

【理論編】

【素人発想・玄人実行編】

第Ⅲ部　ブレインマップの実践

第 I 部

新事業創造の基礎

【概要編】

1. SDGsとパンデミックに対応した公益実現の意義

2015年9月，国連サミットにおいて“2030年までの国際的な目標”としてSDGs（Sustainable Development Goals）「持続可能な開発目標」が採択され，193の加盟国によって合意された。SDGs達成に向けて，各国政府，企業は貢献していくことが期待されている。これまでに人類の飽くなき欲望の追求が成長をもたらしてきた反面，自然に対する収奪の姿勢は，生態系の破綻，地球環境の破壊をもたらし，その結果が，人類存続の危機に至らしめているといって過言ではない。ともすると私たちは数値化され達成度のわかる経済の目標を優先しやすい。しかし，持続可能な社会の実現のためには，経済・社会・環境の3つの関係を常に意識して，相互に連携しながらレベルアップする大切さを理解する必要がある。さらには，時間は有限であることから，将来の見通しを時期とともに明確に立てることの重要性も認識されるところである（外務省2021，横浜市政策局政策課 2018）。

そこで思い出されるのが，今から1世紀以上前に活躍した，渋沢栄一の「道徳の伴った利益の追求／道徳経済合一」の思想である。100年も前に，SDGs，ESG（環境，社会，ガバナンス）や企業統治，法令順守，公益（common good）の実現に思い至った渋沢の卓越した未来観は，そのまま現在に通じており，注目に値する（渋沢 1916；2021，境 2013，堀内 2021a；2012b，境 2022）。

直近2年間（2020-2021年），パンデミック（新型コロナウイルス）が世界を席巻し，感染拡大と未曽有の死者をもたらしている現実がある。SDGsとパンデミックは一見関係のない独立した要因にみられよう。しかし，実は，人類の存在自体がもたらした問題という点で，期せずして両者は重なり合い，絡み合う関係となった。

そもそも，世界史を紐解くと，私たちは，何度もパンデミックを経験してきたことがわかる。14世紀ヨーロッパで流行した黒死病（ペスト），に始まり，コレラ，結核，20世紀初めにはスペイン風邪も流行した。パンデミックは社会，政治，経済などあらゆる物事に甚大な影響を与え，それを経験する前後で私たちの価値観，行動は大きな変革を経験していることがわかる。ごく最近では，前世紀末の1990年代における「インターネット社会の到来」，そして今世紀に入り，2008年，アメリカのリーマン・ブラザーズの経営破綻による世界不況「リーマンショック」の勃発，ならびに2011年に起きた東日本大震災の影響も大きい。それにしても，新型コロナウイルスの襲来はさすがに想定外であった（現代公益学会 2022）。

世界各国はワクチン開発と接種拡大，集団免疫などの医学的見地による予防と病床対応，ならびに，異国間の移動禁止，ロックアウト（都市封鎖）など，国よって対応に温度差はあるものの，社会的，政治的見地による感染抑止につとめてきた。

一方，日本では度重なる緊急事態宣言の発令以外には対応策は決定打に欠け，スピード感も不足した。加えて，医療，企業支援，デジタルネットワークなど社会システムの脆弱さが露呈した。まだ収束には至らないものの，ウィズ・コロナ／アフター・コロナに世界はどのような変革を経験するだろうか。

SDGs，パンデミックによる社会変革と価値創造を折り込んで，社会変革と新事業創造のための発想法は重要となろう。

2. 資本主義社会の課題，格差問題

地球の持続可能性に対する大きな疑問符は，18世紀後半にイギリス産業革命に端を発した資本主義経済がもたらした温暖化を始めとする地球環境の持続可能性と，格差問題を含めた資本主義自体の永続性，この2つの意味においてである。

2013年，トマ・ピケティ（Thomas Piketty）による著書『21世紀の資本』は様々な意味で画期的であった。その理由は，長期的に見て，r（資本収益率）＞g（経済成長率）という歴史的事実が数字で示されたことである（ピケティ 2014）。

それは資産を持っている不労所得者は資産を持たない勤労所得者よりも時間の経過と共により裕福になることを意味している。今日，私たちは経済成長の

恩恵や利益を平等に受ける訳ではないことに気づかされたわけである。

持てる者と持たざる者の経済格差は，新型コロナウイルスのパンデミックを経て，GAFAM（グーグル，アップル，フェイスブック，アマゾン，マイクロソフト）などと呼ばれる巨大なプラットフォーマーが独占する一層大きな超格差社会へ結びついている。

社会や経済や世界の存在理由を問い直し，公益，公共善（common good，共通善ともいう）を改めて見直し人間から遊離した資本主義システムの世界から，人間の手に取り戻すことが必要なのであろう。

3. 産業界の動向とポスト・コロナにおける新事業の展望

まずは『日経業界地図』をとりあげ，2020年版（2019年8月発行）と2022年版（2021年8月発行）を比較してみたい。2020年以来コロナ禍となり，社会を変革する要件として，4つの点が注目される（境 2021a；2021b；2021c，ベンチャーネット 2021）。

(a) 世界史に残るパンデミックの経験

(b) 消費者の価値観／行動様式の変化：コロナ禍の中長期的影響

(c) 消費社会の構造変化と企業戦略

(d)「ハレ性」と「感性」による中高年の消費

「巻頭特集」(2020年版，2022年版）は各発行時点から今後の業界予測と展望をしている。特に2022年版では「2030年の業界地図」をとりあげている。2020年と2022年の落差に注目しよう。「注目業界・テーマ」(2022年版）は他の一般業界と比較して社会状況，価値観，企業の成長戦略などの特徴が顕著に表現される（図表Ⅰ-1)。

上記の各要件をふまえて，他者と差別化される発想力，実行力でモノ（流行，ブランドを背景に商品，サービスの実態物そのもの），コト（商品，サービスの実態を踏まえた体験，イベントなど），イミ（社会貢献，環境保全，文化継承，健康，フェアトレード，SDGsなど）を創造することがカギとなると考えられる。

図表Ⅰ-1　注目業界・16事業テーマの変遷

2019年度		2021年度	
1. 自動車自動運転	9. キャッシュレス決済	1. カーボンニュートラル	9. AIベンチャー
2. シェアリングエコノミー（自動車系）	10. 仮想通貨	2. 水素ビジネス	10. サイバーセキュリティー
3. シェアリングエコノミー（民泊系）	11. 電子商取引サービス	3. サーキュラーエコノミー	11. クラウドファンディング
4. 訪日外国人	12. 宇宙ビジネス	4. グリーンエコノミー	12. パーソナル情報利用
5. 東京オリンピック・パラリンピック	13. サービスロボット・ドローン	5. フードテック	13. 介護・医療ロボット
6. AI（人工知能）	14. サイバーセキュリティー	6. 木材	14. スリープマネジメント
7. ビッグデータ	15. VR・AR	7. スーパーシティ	15. 治療アプリ
8. フィンテック	16. 再生医療	8. IoT住宅	16. ワーケーション

（注）『日経業界地図』の2020年版と2022年版を注目業界タイトルで比較したものである。

例えば，カーボンニュートラルというキーワードを考えてみたい。カーボンニュートラルとは，温室効果ガスの排出量と吸収量を均衡させることを意味する。2020年10月，政府は2050年までに温室効果ガスの排出を全体としてゼロにする，カーボンニュートラルを目指すことを宣言した。「排出を全体としてゼロ」というのは，二酸化炭素をはじめとする温室効果ガスの「排出量」から，植林，森林管理などによる「吸収量」を差し引いて，合計を実質的にゼロにすることを意味する。カーボンニュートラルの達成のためには，温室効果ガスの排出量の削減並びに吸収作用の保全および強化をする必要がある。

地球規模の課題である気候変動問題の解決に向けて，2015年にパリ協定が採択され，世界共通の長期目標として，世界的な平均気温上昇を産業革命以前に比べて2℃より十分低く保つとともに，1.5℃に抑える努力を追求すること（2℃目標）今世紀後半に温室効果ガスの人為的な発生源による排出量と吸収源による除去量との間の均衡を達成すること等を合意した。

この実現に向けて，世界が取り組みを進めており，120以上の国と地域が「2050年カーボンニュートラル」という目標を掲げている。

2021年，アメリカのプリンストン大学，真鍋淑郎博士のノーベル物理学賞受賞は気候変動の先駆的な研究を行い，地球温暖化の予測，二酸化炭素濃度と地球の表面温度に与える影響の解明という，地球と人類の救済テーマに対する究極の貢献を高く評価されたものといえる。SDGsが世界目標となるなかで，タイムリーな話題であった。

以上をふまえると，全ての産業について新事業を創造する視点としては，

(a) 既存の事業を事業内容，技術等のイノベーションによって，新たな事業に展開をはかる。SNS，ICT，IoTなど情報通信技術を駆使して，小さな事業から始めて独創的な事業に成長させる。

(b) 業界の事業を複数組み合わせて，新たな事業を創造する。

(c) これまでに存在しなかった業界，事業を新たに創造する。

例えば，農業（1次産業）に最先端の工業（2次産業）と商業（3次産業）を融合すれば，総合産業としての農業（6次産業）となる。その基盤となるのはAI，ICT，ロボットならびに品種改良の最先端技術である（境編著2020）。上記以外にも，既存事業と新規事業のシフトバランスは様々に検討が可能である。

4. ニューノーマルへの対応

2020-2021年，世界は大きな転換期を迎えていた。パンデミック（コロナ禍）の感染拡大に備えて，日本国内でも緊急事態宣言が発令され，従来にはなかった新しい生活様式が生まれている。時代における大きな転換期を「ニューノーマル New Normal」と呼ぶ。「New（新しい）」と「Normal（常態）」を組み合わせた「新常態」を意味する。ニューノーマルの時代に合わせて，企業やビジネスシーンにおいては，当然変化が起きている（境 2021a；2021b；2021c，ベンチャーネット 2021）。

(1)　ニューノーマル時代到来と過去の経験

今回の新型コロナウイルス以外にも，ニューノーマルといえる2度の転換期が過去にあった。

(a) 1990年代における「インターネット社会の到来」。Googleの検索エンジンサービスや，電子メール，携帯電話の普及が始まり，現在でもインターネットはビジネス，人々の生活に欠かせない。

(b) 2008年，アメリカのリーマン・ブラザーズが経営破綻したことによって，世界不況を招いた「リーマンショック」。日本でも多くの企業が経営面に打撃を受け，CSRなどによって，企業の責任が問われるようになった。

(2)　ニューノーマルによる生活様式の変化

コロナ禍によるニューノーマルの時代を迎えた現在，ビジネス面だけでなく，個々の生活様式にも大きな変化が起きている。これまで，当たり前であった行動が一変し，新しい生活様式を取り入れなければならなくなった。主な変化として，以下の3つが挙げられる。

(a) マスクの着用
(b) ソーシャルディスタンスの確保
(c) 不要不急の外出回避

(3)　ニューノーマルによる企業活動の変化

新型コロナウイルスとの共存が必要なった現在，企業活動のあり方が大きく変わっている。上記で挙げた生活様式の変化によって，企業側もニューノーマルに対応が必須である。通常の「働き方」が転換期を迎えた。企業活動における主な変化としては，以下の3つが挙げられる。

(a) 在宅勤務の常態化
(b) 事業継続計画の重要性を再認識

(c) DX への取り組み*

(4) ニューノーマルによるビジネスの変化

ニューノーマルによって，ビジネス面でも変化が起きている。主な変化を 3 つ挙げる。

(a) キャッシュレス決済の普及
(b) EC サイトや生協の活発化
(c) 飲食店の営業形態**

(5) 働き方やオフィスのあり方の見直し

ニューノーマル時代の到来は，企業にとって，働き方やオフィスのあり方について，考え直す好機である。新しいオフィスのスタンダードとして，フレキシブルオフィスが注目されている。快適なワークスペースと柔軟な契約形態で，スタートアップから大企業まで利用するフレキシブルオフィスである。

5. Society 5.0 の定義と新たな社会：意義と課題

Society 5.0 とはサイバー空間（仮想空間）とフィジカル空間（現実空間）を高度に融合させたシステムにより，経済発展と社会的課題の解決を両立する，人間中心の新たな未来社会（Society）のことをいう。

狩猟社会（Society 1.0），農耕社会（Society 2.0），工業社会（Society 3.0），情報社会（Society 4.0）に続く，新たな社会を指すもので，経団連，内閣府・

---

* デジタルトランスフォーメーション（DX）：具体的には，Web 会議システム『Zoom』などが挙げられる。従業員がオフィスにいなくても，自宅からパソコンを使って対面式の会議を行える。顧客との直接営業から，インターネットツールを利用した間接営業に転換している。

** 『Uber Eats』，『ゴーストレストラン』はいずれも顧客と店が非接触，非対面のデリバリーの原則。スマートフォンを介して注文でき，店はホール設置が不要で，店舗運営費用も削減できる。

第5期科学技術基本計画（2016-2020年度）においてわが国が目指すべき未来社会の姿として初めて提唱された。

Society 5.0は，サイバー空間（仮想空間）とフィジカル空間（現実空間）を高度に融合させたシステムにより実現する。これまでの情報社会（Society 4.0）では，人がサイバー空間に存在するクラウドサービス（データベース）にインターネットを経由してアクセスして，情報やデータを入手し，分析を行ってきた。

これに対して，Society 5.0では，フィジカル空間のセンサーからの膨大な情報がサイバー空間に集積される。サイバー空間では，このビッグデータを人工知能（AI）が解析し，その解析結果がフィジカル空間の人間に様々な形でフィードバックされる（DIAMONDハーバード・ビジネス・レビュー 2015）。今までの情報社会では，人間が情報を解析することで価値が生まれてきた。Society 5.0では，膨大なビッグデータを人間の能力を超えたAIが解析し，その結果がロボットなどを通して人間にフィードバックされることにより，これまでには出来なかった新たな価値が産業や社会にもたらされることになる。

Society 5.0のビジョンは優れている。しかし，それを実現するには，莫大な労力，時間，資金がかかり，何よりも，国の産業戦略全体を明確にする必要がある（境 2021a；2021b；2021c，ベンチャーネット 2021）。

6. DXの定義，DXとIT化の相違点

(1)　DXの定義

DXとは，Digital Transformationの略語である。デジタル技術を用いることによって，生活やビジネスが変容していくことをいう。経済産業省の「デジタルトランスフォーメーションを推進するためのガイドライン（DX推進ガイドライン）」でのDXの定義は以下の通りである。

「企業がビジネス環境の激しい変化に対応し，データとデジタル技術を活用して，顧客や社会のニーズを基に，製品やサービス，ビジネスモデルを変革す

るとともに，業務そのものや，組織，プロセス，企業文化・風土を変革し，競争上の優位性を確立すること」である。したがって，データやデジタル技術によって，製品やサービス，ビジネスモデルを「変革」することによって，はじめてDXが実現することになる（境 2021a；2021b；2021c，ベンチャーネット 2021）。

(2) IT化の意味

一般的にIT化，IT導入とは，既存の業務プロセスは維持したまま，その効率化・強化のためにデジタル技術やデータを活用する意味がある。例えば，通信手段は古くは電話や手紙であったのに対して，現在はEメール，LINEやチャットツールなどに変わった。留意すべきは，既存プロセスの効率化がIT活用に留まるケースも少なくない点である（ブレインパッド 2021）。

(3) DXとIT化の相違点：手段と目的

DX推進には変革の目的が必要である。目的設定がないと，ITの導入や実装が目的化して単なる省力化にとどまり，成果につながらない。言い換えると，IT化はDXのための手段であり，DXはIT化の先にある目的となる。IT化は，既存プロセスの生産性を向上させる。

それは可視化され社内でも分かりやすい。これに対してDXは，プロセス自体を変化させる。「接客方法がデジタルを通じて根本的に変わる」「物流の配送確認プロセスがデジタルを用いて抜本的に変わる」など，全社的，根本的な変化である。以上から，DXによる変化は「質的変化」，IT化による変化は「量的変化」といえる。

7. SDGsとDXの関係：Society 5.0による連結

すでに述べた通り，Society 5.0とは，AIやIoT，ロボット，ビッグデータなどの革新技術をあらゆる産業や社会に取り入れることにより実現する新たな未来社会の姿である。そこでは人間がデジタル技術を使いこなし，誰もが質の高い生活を送ることのできる理想的な社会にほかならない。その実現手段として，DX によるビジネスと社会の変革がある（境 2021a；2021b；2021c，ベンチャーネット 2021）。

SDGs は必ずしも企業活動だけに焦点を当てたものではないものの，その実現手段の１つとして DX があることは確かである。DX によって企業のビジネスモデルや社会が変わり，AI やビッグデータなど新たな技術を人間が使いこなせることにより，従来の社会課題が解決され，誰もが必要なモノ・サービスを享受できる社会が実現すると考えられている（ブレインパッド 2021）。

したがって，DX の実現は，一企業の売上高の上昇や市場構造の変化だけでなく，未来社会のあり方そのものに関わるプロジェクトとなる。DX と SDGs は，Society 5.0 によってつながるのである

8. 原点回帰の意味・方法・効果

(1) 自分の心と頭の障壁／壁を超える

「原点回帰」とは，物事の出発点に立ち戻ることであり，物事に行き詰まった際に，マインド・リセットに有効な方法である。「初心に戻る」「基本に帰る」という言葉でも表現できる。人が物事を手掛けたとき，最初のスタート（原点）は必ず存在する（ドライバータイムズ 2018）。

人は，物事を極めるために様々な経験や知識を身につけ，万事に対応ができるようになる。ただ，物事の進展に伴い，当初の気持ちや理想と離れた状態になるときがあり，軌道修正が必要となる。

経験を積むに従って，新たな発想を生み出す，あるいは，守りに入る障害になる。成功体験の呪縛もその典型的な例である。自分が守りに入ったと感じたとき，躊躇なく最初に目標としていたことを思い出し，初心に戻ることが大切である。原点回帰をすることによって，自分の心と頭の障壁／壁を超え，目標

が再び明確に見えるようになり，モチベーションも上がる。

仕事が行き詰まったときには，解決策を積み上げていくだけでは根本的な問題は解決できない場合がある。

(2)　経営者の原点回帰

経営者・社長の原点回帰は，利害関係者の調整，会社を存続させるための経営問題などに労力をとられ，実行するのが難しい。しかし，会社のことを最も知る社長が原点回帰することにより，従業員にもその考え，物語が伝わり，会社全体によい影響を及ぼすことができる。

社長の原点回帰とは，最初の目標を実現することに尽きる。当然，利益は減少するものの，仕事へのモチベーションは上がる。また，新たな会社を立ち上げ，再スタートを切るのも原点回帰といえる。

経営者の留意すべきことは当初からの志と情熱を持ちつづけることであろう。

(3)　会社・企業全体の原点回帰

会社・企業全体を原点回帰させるには，会社や企業の存在理由，社会的使命，理念・ビジョンが何か，を明確にする。

起業したとき，会社の理念，目標は明確である。しかし，長く会社経営が進行するにつれて，最初の目標と乖離していることに気づくことがある。それでも，利益が出ていれば，当初の目標とずれていても，会社は存続する。ただし，会社が本来目標としている姿とは異なってくる。

定期的に採用される新入社員は，目標と違う方向に進んでいる会社を通常の姿と思う。しかし，初期から勤務する従業員や役員は，本来の業務とは違うことを認識している。そのため，従業員の間に，会社に期待するものに齟齬が生じる。

会社は，その部分である事業部門と全体である全社から見ることができる。競争戦略（事業部門）と企業戦略（全社）のベクトルは，１つの目標に向かって統合されている状態が望ましいものの，その間にずれが生じることも少なくない。起業したときの会社の存在理由を再度，全従業員に明確に示すことこそが，会社全体の原点回帰に繋がる。

(4)　原点回帰をするプロセス

原点回帰をするプロセスには，「現状の分析」「人材の活用」「目標の明確化」がある（ドライバータイムズ 2018)。

(a) 現状の分析

原点回帰とは，今まで積み上げてきたものを全て棄却し，1からやり直す，ということと同じではない。活かせる部分は残し，今日必要ない余分なもの捨て，最初のテーマに戻ることが重要である。そのために，現状分析が必要である。原点に戻るには，優先順位をつけ，必要なものを残し，不要なものを削る。これからのテーマとするに必要なものを十分検証し，取捨選択し，最初描いていた理想に近づけることが必要である。そして現状が判明すれば，経営者以下，全ての役員・従業員は現状を認識する，承認しなければならない。企業戦略の立案は現状の承認から始まる。

(b) 人材の活用

原点回帰をするために必要な人材，人との繋がりを持続する必要がある。培った人脈の中で，本来目指していたものを実現する，最初に存在しなかった仲間の力を得て進むことが大切である。

(c) 目標の明確化

原点回帰の基本は，最初の目標に立ち戻ることである。目標を明確にすることにより，すべきことが明らかとなる。目標へ向かうプロセスがわかれば，直ちに実行する。これまでの自信を胸にして進む。

9. 現在・過去・未来：backcasting と forecasting

2019 年にノーベル化学賞を受賞した吉野 彰氏によれば，研究開発には超現代史の視点が重要であるという（吉野 2019）。超現代史とは，現在から最近の 10 年，20 年程度の過去の歴史をきちんと理解することによって，未来が見えてくることを指す。それ以上に遠い過去までを振り返る必要はない。単に現在から未来を予測しようとすれば，明確には見えてこないものである。現在から，いったん 10 年前，20 年前の過去に立ち戻ると，現在までの部分については事実としてのデータが存在することがわかる。その延長線上に未来がある。従って，10 年，20 年前の過去から現在を見ると，その先にある未来が自然と予測できる。

次に，シーズは，自分が持っている専門的な能力や技術などの種のことをいう。一方，超現代史の視点からは，最初はぼんやりとしか見えなかった 10 年先，20 年先の未来に求められるものが，研究開発が円滑に進行することによって，明確に見えてくるのがニーズである。

従って，技術があり，世の中のニーズがあり，その 2 つを結べば，研究開発は 100％成功する。ところが，シーズ，ニーズともに時代で変化するため，実際の研究開発は 100 万分の 1 ぐらいの低い確率でしか成功しないのが現実である（吉野 2019）。

なお，吉野氏の発想は，バックキャスティング（backcasting）とフォアキャスティング（forecasting）を統合した思考でもある。

まず，バックキャスティングとは，未来のある時点に目標を設定しておき，そこから振り返って現在すべきことを考える方法，「未来」を起点として，そこから逆算して「現在」何をすべきかを考えることである。

一方，フォアキャスティングとは，過去のデータや実績などに基づき，現在，実現可能と考えられることを積み上げて，未来の目標に近づけようとする方法，「現在」を起点とする思考である。

バックキャスティングの方法を用いる場合，過去に対する総括が十分である否かによって，未来の目標の立て方に影響がある。その点で，吉野氏の方法はそれを充足している点で優れているといえる。

10. 失敗から成功への転換

戸部良一，野中郁次郎らは戦時中，日本軍組織における根本的な欠陥を起点に，現代も本質的に変わることのない我が国の組織的な失敗に警鐘をならした（戸部ほか 1991）。しかし私たちの関心事は，ものづくりや産業界における失敗とそこから得られる学びをいかに未来に活かして具体的なものづくりを通して実装し，社会を変革するかである。

畑村洋太郎氏（東京大学名誉教授）は失敗学を提唱し，危険学も手掛けたことで知られている。彼は日立製作所の勤務を経て，大学で再び研究に着手した。2002 年の失敗学会の設立にも携わり，創造的設計論，知能化加工学，ナノ・マイクロ加工学を研究した。モノづくりの領域に留まらず，経営分野における「失敗学」などにも研究領域を広げている（畑村 2005a；2005b；2007；2010；2014；2022）。

彼は最近の日本においてモノづくり，コトづくり世界で失敗が多発するのはなぜか，失敗を起こさせないためにはどうすればよいか，という問いをたてた。2005（平成 17）年，科学技術振興機構が実施している「失敗知識データベースの構築」は，まさにこれを解決する 1 つの方法を提供しようとするものである。失敗知識を正しく伝達し，その知識を獲得した人が正しく対応すれば同種の失敗は未然に防ぐことができる。人が頭の中に持っている失敗「知識の構造」（「文脈」・「コンテクスト」・「脈絡」のいずれでも良い）を明らかにし，それにしたがって個々の事例を記し，失敗知識を獲得しようとする人が検索でき，それを頭の中に吸収，定着させることができるような構造性を持たせることである。最も重要なことは「失敗知識の構造化」である。

失敗知識を生かそうとする人が最も受け入れやすい失敗出来の表現方法（文脈）を考えると，まず「事象」：いかなる失敗が起こったか，次いで「経過」：時間の経過とともにいかに進行したか，「原因」：どのような推定原因であると感じたか，さらに「対処」：それにどう対応したのか，の 4 つを順番で記述する。そして「総括」としてその場でまとめる必要がある。この5つの項目を書くことで，後からその失敗を学ぶ人は実際に生じている失敗出来の全容を理解することができる。失敗を生かそうとする人に伝達するための「知識化」が最後に登場し，総計6つの項目が失敗表現の最低限の項目である。

全ての失敗はヒューマンエラー（人的要因が主因となる失敗）であるといわれる。人は誰でも間違える。失敗の脈絡を構造化するには，まず人的原因があり，次に人の行動があり，そしてそれによって結果が現れると表現することができる。この失敗出来の原因・行動・結果のつながりを「脈絡」または「シナリオ」と呼ぶことにする。

おおよそいかなる分野であっても人的原因は10個に分類することが可能である。そこで，1つずつの要因を1本の木に見立て，それを束ねることにより「失敗の森」が出来上がる。ここで，要因としては「未知」「無知」「誤判断」「手順の不遵守」「調査検討の不足」「制約条件または環境条件の変化」「企画不良」「価値観不良」「組織運営不良」などがある。10本の木を束ねることによって失敗の全体像を1枚の図に表現することができる。すなわち失敗を俯瞰したときの地図が失敗の森の形で表現される。

失敗構成要素を「ピラミッド図」「分岐図」ではなく，「胞子図」にすることによって全要素とその階層性を示すことができる。

「まんだら図」には，「原因まんだら」，「行動まんだら」，「結果まんだら」の3種類がある。まんだら（曼陀羅）とは，仏教で悟りの世界や仏の教えを示した図絵のことをいい，それにヒントを得て発想した本データベース独自の表現である。中心部が全体を取りまとめている最上位の概念で，その次の円環を第1レベルと呼ぶことにする。原因，行動，結果いずれでも，このレベルは10個程度のキーフレーズに分類するのが理解しやすいようである。さらにその外側に配置される要因を第2レベルと呼び，20-30個くらいのキーフレーズとする。本データベースの分類では，さらにその外側に個々の分野や事例に必要になる要因を配置することにした。それを第3レベルと呼ぶ。第1レベルおよび第2レベルについては，どの分野にも共通するような概念でくくるように努力しているが，第3レベルについては分野ごとで別々の表現を使っている。

個人に起因する「不注意」等から組織の問題としての「企画や運営の不良」

さらに社会的な「環境変化」等の原因の流れも見いだせる。すなわち，「個人→組織→社会」に関連する原因というように，その対象範囲を拡大しながら考えるプロセスもある。原因要素の検討過程では，具体化と抽象化の間，あるいは個人と社会との間を思考が行きつ戻りつしながらも，総体的には個人的・具体的な要素から始まって組織的・社会的要素を経て抽象化した上位概念に上がってゆくものと考えられる。失敗情報を伝えたい人は，失敗情報の具体的内容を思考のスパイラルアップを通して抽象的な「原因・行動・結果の上位概念（失敗シナリオ）」に高めて知識化することにより，初めて失敗知識として伝達が可能となる。そして同図の右に示すように，失敗情報を知りたい人は，その失敗知識を得て抽象的上位概念の失敗シナリオから失敗情報の具体的内容に降りてゆくスパイラルダウンの思考を通して失敗情報を理解することができる。

畑村氏は「失敗まんだら」の上を順次旋回しながら中心部に向かって上がっていくという思考は，初めは機械分野での原因についてだけあてはまるものと考えていた。しかし失敗知識データベース構築の議論の中で次第に分野を問わず，原因・行動・結果のいずれにも当てはまると考えるようになったという。そこで，失敗知識データベースの構築もこの考え方をふまえている。

11. アイデアの軌道修正と短期間での意思決定

エリック・リース（Eric Ries）氏は，起業家であり，かつ，スタートアップや大企業，ベンチャーキャピタルに事業戦略や製品戦略のアドバイサーでもある。彼の唱える「リーン・スタートアップ／Lean Start-up」，言い換えると，効率的で無駄のない企業準備は，「起業家自らの思い込みで，着想した当初のアイデアだけで突き進むのではなく，市場の変化をよく見て初期の顧客を獲得し，ゴールに向かって最短で進む」ことの大切さを説いている。効率的で円滑な軌道修正を図ることが重要となる（リース 2012）。

「リーン・スタートアップ」は，アイデアを事業化する際のプロセスをマネジメントするものであり，アイデア自体を生み出す手段ではない。その点に留意が必要である。

12. 物語と発想法：発想と実行・実装

(1) 物語の定義

物語という言葉は日常的に使われている。物語とは何か。そしてなぜ，物語は多くの人々を魅了するのか。物語とは進行形で把握される日常的／現実的なものではなく，それが過ぎ去ったのちに回顧される非日常的／非現実的なものという性質をもつ。「物語る」とはそこに物語があったことを「確かめる」作業なのである。過去に起こった現象を「客観的な事実」として記録するのではなく，「主観的な出来事」として振り返ることともいえるであろう。

その結果，ある人の身に起こったこと，その人が感じたことを主観的に語ること，あるいは，書くことが前提としてあり，客観的な事実は物語にはならない。人が，客観的な事実，現象を知覚するだけでなく，主観的な「物語」を求めることをも意味する。概念的には二次的な余剰物でありながら，同時に不可避的なものでもある。

余剰物が産まれる理由は，「記憶」にあると思われる。人間の脳はそれほど優秀なものではなく，すぐに忘却してしまう。記憶とは，曖昧で不安定なものである。しかし，記憶は時に事実よりも鮮明に，確かなものに感じるものでもある。したがって，振り返りたいことを「物語る」のではないか。つまり，人や出来事について，「忘却したくないもの」の中に物語がある。それが現実か否か，客観的であるか否かは無関係である。

この物語の一部にテーマを与え，具現化したものが小説，映画，ドラマなどになる。その中には，記憶を呼び起こし，郷愁を誘い，心を動かすものが詰まっている。それが非現実的なものでも，登場する人物や世界に自らを重ね合わせ，共感し，物語に身を委ねることができるのである（青木 2011，境 2021a；2021b；2021c）。

(2)　物語における2つの側面：story と narrative

英語で物語を意味する言葉には，story, narrative の2つがある。

story は history と同じ起源の姉妹語にあたり，話者（著作者）が重視するのは「出来事」「事件」「起きたこと」である。

一方，narrative はその動詞である narrate，行為者である narrator からもわかるように，「語り伝えたい物語」「寓意」「教訓」「伝えたいこ」である。

story は始点と終点が定まっており，固定的で話の向かう方向性も決まっている。それに対して narrative は始点と終点がなく，方向性がない。そこにある偶然性・意外性が生じる（境 2021a；2021b；2021c）。

物語に関する理論研究は，アリストテレスの時代から存在し，『詩学』がその起源とされる。その後時代がくだり，20 世紀に入ると，構造主義の視点からウラジーミル・プロップ（V. Y. Propp）がロシアの魔法民話を分類する研究を行い，人間が概念分類することによって，物語に共通の要素が一定の順序で出現することが示された。さらにマリー＝ロール・ライアン（M.-L. Ryan）がこの研究を展開し，物語の自動生成の可能性が検討され，物語創造の過程がアートであるとする見解を述べた。

一方，新たな学問分野であるナラトロジー narratology（物語学）が成立した。ナラトロジーは物語を，内容 story と語り方 narrating の両方から研究することを目的とし，物語を，始点，中間点，終点の一体性をもった言葉の集合ととらえ，事象の再現行為であると考えるところに特徴がある。

1990 年代には，「ナラティブ・アプローチ」という臨床心理の新たな方法論が登場し，カウンセリング・セラピーの要素として「ナラティブ／物語」を用いるようになった。その基本概念は，「人は，自分の人生の経験に，物語を通じて意味を与える」ということである（野口 2009）。

人々の体験や出来事は，「データ」「数値」のような個別，点の事象ではなく，それらを線で結びあわせることによって認識し，保持することができる（バルト 1979，ライアン 2006）。

次に物語の構成要件は，単純に文書情報，思考整理の場合は 5W1H（Why, Who, What, Where, When, How to），事業計画やビジネス情報の場合は，

6W2H（5W1H に Whom，How Much を追加）となる。

(3)　物語と発想，実行・実装の関係

物語は，アイデアを発想することと関係が深い。金出武雄はアイデア発想について，身の回りからヒントを得ること，飛躍しているように見えたり，いいかげんに見えたりしても否定せずにひとまず許容することが大切であることを説く。「もしそうだったら」「実現できたら」という視点が必要なのである。その上で，「何がどうしてどうなった」「どこでどんな風に役に立つ」ということを広く，大きく，自由に，楽しく考えることが重要である。物事には成功に至る物語が存在する（金出 2006；2007）。

金出によれば，研究開発にとって発想は，単純，率直，自由，簡単でなければならないこと，発想を邪魔するものは，なまじの知識，知っていると思う心であり，既存の方法でうまくいったという経験と知識が発想の貧困を招くこと，考えるときは素人として素直に，実行するときは玄人として緻密に行動することの重要性を説いている。アイデアを完成できるか否かの分岐点は，捨てて変える決断力，勇気があるかどうかであろう。成功や失敗から学ぶことはできる。しかし，成功を疑うことが一番難しいとも語っている（金出 2006；2007）。発想したことをすべて実現できるわけではない。実現できることは発想したもののうちで，論理的に一定の基準を満たしたものに限定される。さらに実現には，実行レベルと実装レベルがある。実行レベルは，アイデアや発想したことを社会で試すことである。成果や結果の意味，社会への影響や変革への貢献にまでの強い意思はない。一方，実装レベルは，コンピュータやシステムにおいて新たに機能の付加（implementation），稼働させることを意味する。従って，成果や結果が重視され，社会への影響や変革への貢献に強い意思が現れる。

13. アート&ビジネス・プロデュース：アートとネーチャー，サイエンス，ビジネスの相互浸透

(1) プロデュースとマネジメントの共通点・相違点

発想したことは確実に実行し，結果を検証しなければならない。プロデューサーの行為であるプロデュースは，異質の機能をもつ組織・当該組織以外の個人や外部関係者，例えば，アーティスト，クリエーターと調整し，越境して摩擦を回避しながら過去にない新たな価値創造を実現する。対境担当者，インターフェイス・マネジャー，ゲートキーパーは，プロデューサーそのものであることは明らかである。

これに対して，マネジャーの行為であるマネジメントは同質の組織，当該組織内の個人や内部関係者を相手に，物事を運営するのであり，価値の提供に力点があるといえる。

この他にも，プロデュースには資金調達の役割があるのに対して，マネジメントには資金配分の役割ももつとする指摘もある。

ただ，両者には共通点も存在し，例えば価値および顧客の創造などをともに目指す点である（境 2017）。

(2) アート・プロデュース論の枠組みとその展開

ビジネスを担うのは起業家・企業家，事業家である。戦略をねり，ブランド構築，ブランディングを推進する。プロデュースを担うプロデューサー，ディレクター，デザイナーは課題解決を行う。一方，マネジメントを担うのはプロデューサー型経営者，経営者型プロデューサーである。芸術，技術，特許などがアートとして総合的に追求され，融合する中で，創造性を発揮しながら，文化的・経済的価値が創り出される。

作品と商品，この両者の距離が近づき一体化していくことを消費者が評価する。芸術と技術と経済で発想したものの統合，各学問領域で使用されている専

門用語の相互接続など，それぞれの領域で発想された着想やアイデアが相互の意味を確認し，創造の現場で各専門家が協力しあう。産学官で共同して商品やサービスに関する価値と価格の関係を検証するための評価組織を設立し，多様な価値と価格と対置できる仕組み，システムを構築することが重要である。

ビジネス・プロデュースは最初に利益を起点にするのに対して，アート・プロデュースは最初に感動・価値の創造を起点とする。いずれにせよ，アートとビジネスの融合度が重要である。フィールドワークを通して，アートとビジネスの双方向からのプロデュースの一体化を目指す（境 2015；2017；2020；2021d）。

(3) アート・プロデュースの要件

アート・プロデュースの要件としては，7つを挙げている。

（a）五感（five senses）
（b）ネットワーク（network） ～communication に基づく
（c）シナリオ・物語（scenario, story）
（d）デザイン（design）
（e）戦略情報（intelligence）
（f）意思決定（decision-making）
（g）ブランド（brand） ～branding もふくむ

英語・頭文字から“FNSDIDB”と命名した。

これは『アート・プロデュース概論』においてプロデュースがもつべき要件を整理した結果，五感，ネットワーク，シナリオ・物語，デザイン，戦略情報，意思決定，ブランドの7つに総括されたことに基づいている。このうち，ネットワークにはコミュニケーション（対話）がその形成・拡大に求められ，ブランド（価値付与）には結果としてブランドとその形成行為のブランディングが一体となることになる。これらの英語の頭文字を並べると FNSDIDB となる。この FNSDIDB の要件を必要とされる状況で随時確実に備え，力を発揮できる者がプロデューサーではないだろうか（境 2017；2021）。

このうち，プロデューサーとしては，物語を構築することが重要となるが，発想法に関しては，特にネットワークと意思決定の役割が重要となろう。

(4)　アートとネーチャー，サイエンス，ビジネスの相互浸透

アートは様々な次元で諸概念と対置される。まず，nature 自然　対　human 人間という対置が考えらえる。アートとは自然に対して人間が何らかの働き掛け，手を加えたもの，人工物がそれに当たる。次に，研究・学問の領域では，science 科学　対　arts 芸術とう対置がある。最後に，人間の行為では non-profit 非営利　対　profit 営利という対置である。本来，人間の創造行為は自らの意思であり表現行為であり，商品をつくることではないため，営利性を伴わない。しかしアートを流通させ，商業にのせれば，商品となり営利性を伴うことになる。

これはアートの意味が多義的であることに理由があるものの，現代社会において，この２極対置の境界線や考え方自体が曖昧になり，多様な次元で相互に浸透する現象がみられるのである。その意味で既成概念の変革，パラダイムシフトを常に念頭に置く必要がある。

14.　事業計画とビジネスモデル，6W2H

(1)　事業計画にビジネスモデルを落とし込む

いかなる経営資源を使って，価値を創造し，いかに顧客に届けて収益を得るかを論理的に記述したものがビジネスモデルであることはすでに述べた通りである。そして事業計画に落とし込む手順として４点

①詳細なビジネスの情報収集

②ビジネスの成立要件

③必要資金の計算，資金計画

④ビジネスの実現可能性の評価

事業計画にビジネスモデルを落とし込むとは，数値化することである。事業

が理論的に成り立つことと実現可能であることは別である。ビジネスモデルを事業計画にするとき，先に必要となる資金を計算しておく。ビジネスモデルはよくても，事業計画にはできない危険性がある。また，起業して収益をあげるまでに，あらゆる問題点を洗い出す必要がある。例えば，起業してからお金が入るまでの期間と必要資金を算出する，最後に求められるのは財務，資金計画の分析と構築の能力である（境 2021b；2021c）。

(2) 損益分岐点を超える

損益分岐点は，損失と利益が分岐するポイント，つまり，売上高と総費用が一致し，利益が0になる点を言う。起業について最初の目標は損益分岐点を越えることである。正確な損益分岐点を算出するためには，経費や固定費などの全費用の確認，洗い出しを行わなければならない。また，損益分岐点を越えるための施策を用意しておかねばならない。

(3) 成功までの軌跡を事業計画に描く

事業計画を作る際，成功までの道のり，軌跡が予め描ける，見えなければならない。ビジネスモデルを事業計画に落とし込む際に，この点が抜けやすい。軌跡を事業計画に描くことが重要である。

(4) 事業計画と 6W2H

事業をはじめるにあたり，企画書，事業計画を作成する。その事業計画を明確に書面にしたものがビジネスプランである。それを，絶えず現実的で実現可能なものに修正していくことが必要である。このビジネスプランによって，投資家は投資の決定をする際の重要な判定要素とする。

計画そのものは，次の 6W2H を意識しながら作成すると，イメージが明確になる。国語で学習した 5W1H との違いが理解いただけるだろうか。

Why　　　この事業展開をする理由

	What	売るもの（具体的な商品やサービスの中身）
	Where	ターゲット市場
◎	Whom	ターゲット顧客
	How to	販売方法（競争優位性や独自性）
	When	人，物，金の投入タイミング
	Who	能力・経験をもった人材の確保
◎	How Much	必要資金額

◎が　ビジネス固有の要素となる。

事業計画書では少なくとも，以下の８項目を満たす必要がある。

①事業プラン名，②事業内容，③市場環境，④競合優位性，⑤市場アクセス，⑥経営プラン，⑦リスクと解決策，⑧資金計画

(5)　ビジネスモデルの意味

ビジネスモデルとは，ピーター・ドラッカー（Peter F. Drucker 1909-2005）によれば「顧客は誰か，顧客にとっての価値は何か，どのように適切な価格で価値を提供するのか」という問いに対する回答であるという。ハーバード・ビジネススクールのジョアン・マグレッタ（Joan Magretta）は，「ビジネスについて会社がうまく機能する方法を説明する物語」であると定義する。また，経営コンサルタントでジョージア州立大学，シンガポール国立大学等で客員教授でもあるアレックス・オスターワルダー（Alexander Osterwalder）によれば「組織が価値を生成，提供，獲得する方法の論理的根拠を説明するもの」と述べている。一般には「儲けの仕組み」ともいわれる。

ビジネスモデルは，５つの主な柱から構成されている。第１は「顧客」，第２は「顧客価値」，第３は「経営資源」，第４は「運営／差別化」，第５は「収益／利益」である。それらは Who，What，How，Why，つまり 6W2H の一部である。

「顧客は誰か？（Who）」

「何の価値を提供するのか？（What）」

「どのような経営資源によって，どのように運営／差別化し，価値を生成・

提供するか？（How）」

「なぜそれが利益を生み出すのか？（Why）」

ビジネスモデルは，事業計画の要件であり，経営戦略論における最重要なフレームワーク（枠組み）である。ビジネスモデルに関する議論は，30年程度の歴史であるが，今後も学問上，実務上にさらに発展することは明らかであり，起業家，コンサルタント，学者がそれを担う。

私見では，ビジネスモデルの構築は，ビジネスモデルキャンバスやリーンキャンバスのツールは勿論，身近なところでは，6W2Hの要素分解でも同様の成果が得られると考える。それこそ，ビジネスに関する6W2Hの組み合わせ自体がビジネスモデルといえよう。

そして，最終的には，ビジネスモデルを事業計画に落とし込む，つまり数値化することが必要になる。ここで財務，資金計画の分析と構築の能力が求められることになる。事業創造に関する様々なアイデアは既存の知識に頼るだけでなく，新たに発想しなければならない（境 2021b；2021c）。

15. 新規事業の着眼点，評価・検討の留意点

新事業を創造する着眼点としては，すでに「2.」でも言及した通り，

(a) 既存事業の事業内容，技術等のイノベーションによって，新たな事業に展開をはかる。SNS，ICT，IoTなど情報通信技術を駆使して，小さな事業から始めて独創的な事業に成長させる。

(b) 業界の事業を複数組み合わせて，新たな事業を創造する。

(c) これまでに存在しなかった業界，事業を新たに創造する。

などがあげられる。

このいずれについても，事業の根拠となる技術，起源となる技術が何か，明示する必要がある。ご自身の現在の認識と実際の事業アイデアとの間に（抽象と具象の間に）乖離がないか。また，事業と根拠技術が対応しているか。例えば，AI（決して万能ではない）を用いて，どのようなデータを学習し，何を思考させ，何を可能にするか，を明らかにすべきである（田所 2019，境

2021b；2021c)。

現状を十分に把握した上で過去へ遡って現在を見る。そして未来にすべきことを考える。今まで取り組んできたことの中に重要な気づきがあり，その経過観察と検証を行う未来から逆算すると現在やるべきことが見えてくる*。

この見解はリチウムイオン電池の開発でノーベル化学賞を受賞された吉野彰氏の「成功の遺伝子は現在・過去・未来（歌手，渡辺真知子氏の曲に触発された）にあった」，という話と重なる。

過去の積み上げ（過去・現在・未来が連続である前提）からイノベーションが起こらないことは多々ある。むしろ未来のビジョンから逆算して破壊的なイノベーションを起こす（過去・現在と未来が非連続である前提）ことに可能性が少なくない。

①誰にとって，②いかなる課題を，③どのように解決し，④いかなる価値を提供するか意識することが重要となろう（境 2021b；2021c)。

持続可能な企業は，試行錯誤を繰り返しながら，事業創造の成功確率を上げ，失敗を巧みに補填できる力を有しているといえる。

新事業創造を実現するには，自社の未来における成長・発展のための目標とプロセスを決める必要がある。試みに新事業創造の方式を整理するならば，主に新分野展開，事業転換，業種転換，業態転換，組織＆事業再編などの５つの類型に分けることができる。

新分野展開は主たる事業，業種とも変えずに新たな製品と市場のみが生まれる場合である。これに対して，事業転換は新たな製品と市場が生れ，かつ，業種は不変でも主たる事業が変わる場合である。また，業種転換は新たな製品と市場の創造による主たる事業も業種も変わる，比較的大規模な転換である。最後の組織＆事業再編は，法的な組織改編を伴った大規模な事業再編であり，それに伴う費用とリスクは大きい。ただし，以上５つの類型にはそれぞれに長所・短所があり，難易度も異なる。

＊過去から現在までのプロセスの中で蓄積されたデータがあり，その延長線上に未来があるともいえる。

そもそも新事業の成功，失敗の評価には既成の基準や指標がない。しかし，企業価値評価（valuation）の手法として割引現在価値や株式時価総額，EVA（経済付加価値），MVA（市場付加価値）などの評価算式が存在することから自社の業種，事業，業態などを考慮した新事業評価法の開発が望まれる。

次の「注目すべき書籍」では研究者や実務家が提起した様々なキーワードをあげてみた。例えば，公益実現，本質追求，課題解決の体系化，成長マトリックス，革新の矛盾，二兎を追う経営の意義と課題，リーダーシップによる変革創造，方向転換・ビジネスモデル構築の迅速化，論理より感性・熱意，企業概念の再構築，DX の活用と業界の活性化，科学技術の発展とビジネスの融合，素人発想・玄人実行，失敗の構造化と可視化などである。新事業創造への多様なアプローチにも大きな示唆となろう。

「新事業創造の基礎」（第Ⅰ部）をふまえて，「発想法」（第Ⅱ部）ならびに新たな発想法である「ブレインマップの実践」（第Ⅲ部）に展開することによっ

図表Ⅰ-2　新事業創造，発想法，ブレインマップをつなぐ体系／第Ⅰ・Ⅱ・Ⅲ部の関係構造

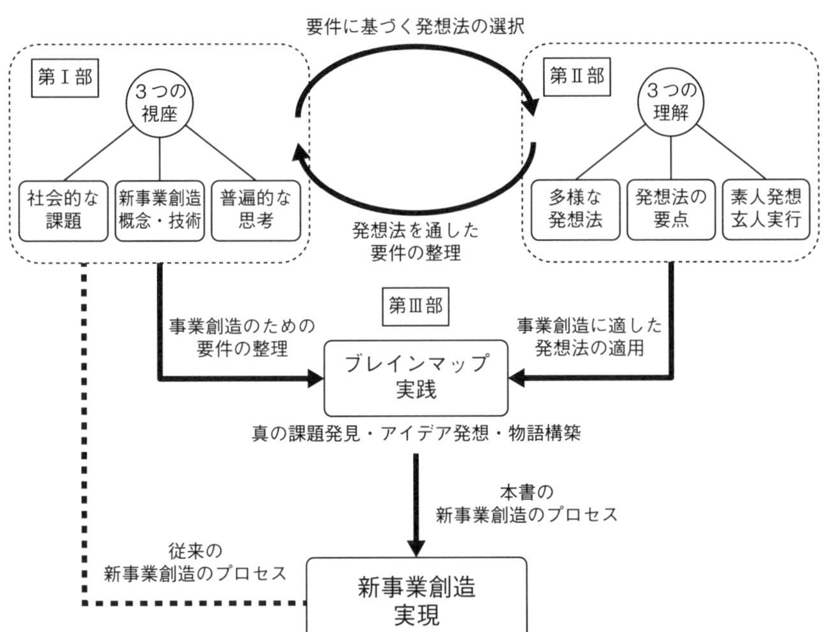

て新事業創造が実現することとなる。以上，第Ⅰ部・Ⅱ部・Ⅲ部の関係を表す体系，全体像が図Ⅰ-2である。

【注目の書籍　解題編】

1. 渋沢栄一『論語と算盤』：道徳経済合一説の意義，SDGsの共通点

(1) 渋沢栄一の歴史における位置づけ

渋沢栄一（1840-1931）は，埼玉県深谷市の出身，江戸末期，明治から昭和にかけて活躍した実業家である。設立に関わった企業は約500社，さらに約600の慈善･社会事業に携わり，「日本資本主義の父」と呼ばれている。最近，新一万円札の肖像への採用が決定し（福沢諭吉と渋沢栄一はともに幕末に海外に渡り，日本の近代化に尽力した共通点をもっている），NHK大河ドラマの主人公にもなり，一層の注目を浴びている。

渋沢栄一が活躍した19世紀後半から20世紀前半において，過去150年程度の歴史を振り返ってみる。明治維新が1868年，日清戦争が1894-1895年，日露戦争が1904-1905年，第一次世界大戦後が1914-1918年，大戦景気が1915-1920年，渋沢による第一銀行設立が1873年（マルクスによる『資本論』刊行の6年後），『論語と算盤』の刊行が1916年（ロシア革命の前年）である。

江戸時代とは劇的に環境を変えた明治期に，彼は金儲け一辺倒になりがちな経済活動を商業道徳で律し，公や他者を優先することで豊かな社会を築くべきことを唱えたのである。また，自分自身も日頃からこの生き方を実践し，約500社もの株式会社の設立と運営に関わったほか，社会活動や教育活動にも熱心に取り組み，数多くの病院や学校など公益法人の設立に尽力した（渋沢 1916；2021，境 2013，堀内 2021a；2012b，現代公益学会 2022）。

(2) 『論語と算盤』の背景

今回，この講座でも注目する書籍としている『論語と算盤』について簡単に述べたい。

『論語』は，孔子の言行録で，自分の身を正しく処し，人と交わる際の日常

の教えが書かれている。幕臣，政府役人を経て実業家となった渋沢栄一は，幼少期に学んだ『論語』の教えを範として，事業欲は常に持っておくべきものだとしながらも，それは，仁・義・徳という道理によって律することが求められ，道徳や倫理と離れた欺瞞や権謀術数的な商才は，真の商才ではないと考えた。

そして，経済を発展させて国全体を豊かにするためには，個人が利益を独占するのではなく，富を社会に還元させるべきだと説いたのである。こうした渋沢の理念は，幕末に「義利合一論」（義＝倫理，利＝利益）を論じた陽明学者，三島中洲との交友による影響とも言われている。

(3)　渋沢栄一の思想とSDGsの共通点

渋沢栄一を「日本資本主義の父」という実業家としての視点からだけではなく，その理念を生涯をかけて実践した在野の社会思想家として見た時，そこには，今の日本社会や世界全体が抱える閉塞感を打ち破る突破口，解決策の可能性を見出すことができる。そして2015年に国連によって提唱されたSDGsと，渋沢の『論語と算盤』に唱えた経営思想の間には，様々な共通点が存在することは注目に値する。

渋沢が描いた資本主義の姿は，公利公益を追及するのに最適な人材と資本を広く集めて事業を行い，そこで得た利益を出資した人たちで分け合う「合本主義」であった。彼が第一銀行を興したのは，「しずくの一滴一滴がやがて大河になる」という，この「合本」の考えによる。個人の小さなお金を集めることにより，国家の経済力の基盤を作る。小さなしずくの一滴を集めるには，「共感」が必要になるのであり，それは預金者の共感の集まりでもあった。渋沢はその力に期待したのである。

アダム・スミス（Adam Smith 1723-1790）は，1759年に，『国富論』にさきだち，『道徳感情論』を書いている。そこで彼は，自由な経済社会が成立するための前提として，他者の感情に同感する「共感者」としての人間像を提示している。これは，近代経済学が前提とした，ひたすらに自己の利益だけを追求するだけの「合理的経済人」とは異なる人間像であった。スミスは，自由な競争とは，他者への共感の上に成り立つと考えていたのである。これは，正に渋沢が実業を行う中で見出した人間像そのものである（渋沢 1916；2021，境 2013，堀内 2021a；2012b，現代公益学会 2022）。

渋沢の「道徳の伴った利益の追求」という思想は，SDGsやESG（環境，社会，ガバナンス）や，ガバナンス（企業統治），コンプライアンス（法令順守）の考え方にも通じる普遍的なものである。今から100年前に，道徳と経済の融合という日本独自の経済思想を打ち出した渋沢栄一は，時代を先取りした実業家であり思想家だったのである。

2. 馬場粂夫『落穂拾い』：なぜなぜによる本質追求の起源

(1)　日立製作所創業者・小平浪平と馬場粂夫の業績

小平浪平（1874-1951）は1906年に久原鉱業所日立鉱山に入社し，1910年には電気機械製造事業の工場として日立製作所を創業した。小平は5馬力の誘導電動機を自らの技術で創り上げたことを起点に，日本の工業発展には，輸入技術ではなく自主技術，国産技術の開発を第一として事業を展開した。日立創業の精神は和，誠，開拓者精神である。小平の精神を受け継ぎ日立創立者の一人である馬場粂夫（1885-1977）は優れた自主技術の確立のため技術者の育成に注力し，学位取得の奨励，高度な研究・技術開発を通しての社会貢献を目指した。その結果，1953年に変人会（1959年に返仁会に改称）が結成された。「返仁」の「仁」は愛慈悲の心に通じ，「返」は根本にかえり，その恩に報いるという意味を込めている（馬場 1966；1981，日立製作所 2007）。

「産業や工業の発達は，研究にまたねばならぬ」というのが小平創業社長の考えであったが，それを全面的に一任されたのが馬場粂夫である。創業より技術開発を統率し，世界恐慌時の不況下，日立の存亡を賭けて挑戦した昭和肥料（現在の昭和電工株式会社）納め水電解槽（1931年）や八幡製鐵所（現在の新日鐵住金株式会社）納め圧延用直流電動機（1933年）などでも陣頭に立って尽力した人物である。研究係発足と同じ年に「日立評論」の創刊を直訴したのも当時，設計係長の職にあった馬場であった。馬場は92歳で亡くなるまでの間，膨大な著書を遺しており，日立の企業文化・風土の形成に多大なる影響を与えてきた。特に研究開発部門において今もなお精神的支柱となっているのは馬場博士の教えと言っても過言ではない。『落穂拾い』（1966年）はこうした馬場の代表的な著書の1つといえる。

戦後，馬場は「落穂拾いの精神」を唱え，製品事故の後始末を誠実に行うように指導したのは社内ではよく知られている。「いくら一生懸命やっても，人は誰でも失敗するものである。これを教育の種として，自ら反省して改めるようにするなら，必ず正しく物を作れるようになる。自分の失敗を隠さないで，人にもそれを繰り返さないようにさせることが大切である」と説いて，「以過為福（あやまちをもって，ふくとなす）」という考えを全社員に浸透させた。これが厳しい品質管理や生産技術による現場力をもたらすこととなった。これらの主眼はもう1つ，馬場博士が重視した「有言実行（言っただけのことは約束どおりものにする）」にあり，その2つの教えは車の両輪のごとく日立のモノづくり精神の根幹として今日まで継承されている（日立評論 2021）。

研究者のあり方としては，「高度な発明を為すのは変人以外には期待し難い」と喝破し，有為な青年技術者を進んで招き入れた。合わせて社内の博士号取得者の集まりを「変人会」（後の「返仁会」）と名づけ，みずからを「大変人」と称して社内研究者の学位取得を奨励した。また四書五経をはじめ東洋思想に造詣が深く，その教養に基づき，社員に向けて多くの指導を行った。特に好んで説いたのが「空己唯盡孚誠（おのれをむなしうして，ただふせいをつくす）」という一節である。私心を無にすれば，自然と天の道にかない，そこに誠が現れるという意味合いだが，「孚」という一字に特別な思いを託していた。これは親鳥が卵を抱いて温める姿をかたどった字であると言われ，思いやりのある情愛，温かい心の大切さを説いたものであるが，ひと癖もふた癖もある「変人」揃いの研究者を束ねるリーダーに求められる心得として読むこともできる（下東 2010）。

(2)　日立製作所にもある「落穂拾い」

日立製作所には，ジャン＝フランソワ・ミレー（J.-F. Millet）の著名な絵画である「落穂拾い」に由来する「落穂拾い」がある。ただし，その意味は失敗に学ぶことをいう。落穂とは失敗を指し，拾うとは失敗を隠さず向き合うことである。失敗をきちんと反省してその原因を明らかにし，その後に役立てる。このような失敗の伝承は「言うは易く行うは難し」である。人は誰でも，失敗はしたくないし，失敗と認めたくないし，言い訳をして責任を軽減したい。失敗の伝承には，そのための企業文化が必要である。落穂拾いの心を伝えて実行する仕組みを作り，それを脈々と受け継ぐ不断の努力が不可欠である（下東 2010）。

なお，なぜなぜを五回繰り返しアイデアの完成度を上げるのは，日立製作所の落穂拾いに起源があるとされる（馬場 1966）。トヨタ自動車はこれをカンバン方式として完成させたのである（境 2021a）。

3. 大野耐一『トヨタ生産方式』：なぜなぜによる課題解決の体系化

“KAIZEN（カイゼン）”は，今や世界共通語と言っていいだろう。トヨタの効率的な生産方式を象徴する言葉で，日本語のままで世界に広がっている。システムの方法論を確立したのが，大野耐一（1912-1990）である。彼の著書『トヨタ生産方式―脱規模の経営をめざして』は 1978 年に出版されてから今も版を重ねており，生産管理者のバイブル的存在であり続けている。トヨタ生産方式は全世界で採用され，生産効率向上に役立てられている。1988 年に英語版が出版されて以降，様々な言語に翻訳され，世界中に影響を与えている。A3 判 1 枚で総括させる仕事法，簿記・会計に対する強い認識なども徹底した合理化，無駄を許さないトヨタの精神に結びついている。

大野によると，トヨタ生産方式の柱は 2 本ある。「ジャストインタイム」と「自働化」である（大野 1978，トヨタ自動車 2022）。

(1)　ジャストインタイム

自動車をつくる場合，その特徴は部品点数が数万点にも及ぶため，1つの部品が不足しても車を組み立てることはできない。「必要なものを，必要な時に，必要なだけつくる（あるいは運ぶ）」ことができれば，ムダなく車をつくることができる。「トヨタ生産方式」では，この難題に対して「後工程が前工程にものを取りに行く」やり方で「ジャストインタイム」を可能にしている。「ジャストインタイム」を可能にする方法に「平準化」，つまり，生産計画を「平準化」して必要な時に，必要なモノをつくること，そしてリードタイム（正味の加工時間と停滞時間の和）を短くするため「流れ生産」の仕組みを採用することを行っている。

(2)　「自働化」

「自働化」とは，異常があつたら機械自らが止まるということである。「自働化」により作業者は，一人で何工程も受けもつことができ，品質を確保しながら能率の向上を図ることができる。機械が自動機械になることによって，人の仕事も効率の良いものに変わる。この「自働化」の考え方は，人の作業にも採用している。

「トヨタ生産方式」を定着させ，成果を上げるには，計画的，組織的に工場幹部から末端の作業者に至る徹底した教育，訓練を行うことが大切である。

以上，2つの考え方を組み合わせることで，トヨタ生産方式の基本思想である“徹底的なムダの排除”を実現できるというのだ。理論をまとめ上げたのは大野だが，彼によると両者の発想の根本には先人の言葉と実践があったという。トヨタ自動車の創立者である豊田喜一郎と，その父の発明王，豊田佐吉である（佐藤 1999，熊澤 2011，野口 2016，豊田 2000）。

大野は1932年に名古屋工業高校の機械科を卒業し，豊田紡織に就職したが，1943年にトヨタ自動車工業に転籍する。戦時中で，熟練工が次々と徴用されるなかで，工場に残ったのは，経験の乏しい者ばかりである。これまで工場で働いた経験のない女性たちも多かった。目で見る管理の方法を，大野は現場で学んでいった（佐藤 1999，熊澤 2011，野口 2016，豊田 2000）。

1956 年，大野はアメリカに渡って生産現場を視察する。GM やフォードの工場も訪れたが，彼が新たなヒントを得たのはスーパーマーケットである。日本ではまだ普及していなかったが，アメリカではスーパーマーケットでの買い物はすでにライフスタイルに組み込まれていた。そこでは，顧客が必要とする品物を，必要な時に必要なだけ入手することができる。

大野は以前から工場の生産工程にスーパーマーケット方式を導入する研究を進めていたが，実際に現地で合理的な店の仕組みを見て，アイデアをふくらませて，後工程は必要な部品を必要な時に前工程に取りにいき，前工程は後工程が引き取った部品を補充すればよいという，ジャストインタイムが実現することになった。さらに，そこから生まれたのが，「かんばん」である。「かんばん」の指示に従って部品を作れば，常に必要な数量だけが各工場間で受け渡される。その結果，各工程における在庫は解消することになる。

1963 年には，全工場でかんばん方式が採用された。作業標準化や運搬管理などの問題が解決し，生産工程のスムーズな流れが作られるようになった。この方式は，工場内にとどまらなかった。協力工場からの部品引き取りでもかんばん方式が採用され，さらに協力企業間の部品のやりとりにも使われるようになっていった（佐藤 1999，熊澤 2011，野口 2016，豊田 2000）。

大野がトヨタ生産方式で追求したのは，ムダの排除だった。ムダは無限にあり，ムダを排除すればコストダウンが可能である。ムダを排除することにより，利益は無限に拡大できる。その信念が受け継がれ，今も新たな効率向上の試みが続けられている。

(3)　トヨタ生産方式と経営哲学

トヨタおよびトヨタ・グループで展開されている生産方式の特徴は，やれることをやる「現状改善型」ではなく，やるべきことへ挑戦する「理想追求型」の生産方式である。

理想を追求するために，「中途半端な対応」や「追求に継続性や進歩」が見られない場合，それは逆効果になってしまうケースが多い。

「トヨタ生産方式」は，経営の根幹に係わるコンセプトいわゆる経営哲学に関係する部分とそれを実現する手法・技法の部分の両方を持っているので，手法・技法の１つをとっても効果上がる。また，『トヨタ生産方式』には，正解はない。常に，継続的な研讃努力の裏付け（保障）がない限り，成功しないといわれる（佐藤 1999，熊澤 2011，野口 2016）。

(4)　五回のなぜ

大野の『トヨタ生産方式』の中で「一つの事象に対して，五回の「なぜ」をぶつけてみたことはあるだろうか。」さらに，「五回の『なぜ』を自問自答することによって，ものごとの因果関係とか，その裏にひそむ本当の原因を突きとめることができる。」と言っている様にトヨタ自工の現場で行われた問題事象の原因を追究する方法である（TOKAI 2018）。すでに述べたように，なぜなぜを五回繰り返しアイデアの完成度を上げるのは，日立製作所の「落穂拾い」に起源がある（馬場 1966）。トヨタ自動車はこれをカンバン方式として完成させたのである（境 2021a）。

「五なぜの法則」で重要視することは，机の上で要因を考えるのではなく，徹底した調査によって事実で原因を見つけ出すことである。当然，その原因が存在することで，対象の事象が必ず発生するものでなければならない。

4. アンゾフ『企業戦略論』：成長マトリクス　ポスト・コロナ時代，成長戦略の端緒

ポスト・コロナ時代，事業環境の激変により，ビジネスモデルの転換や新たなビジネス開発を考えている事業者も多いと思われる。現事業の，売上（市場）が消失した場合，「多角化戦略」の検討が必然的に多くなる。この多角化戦略について，アンゾフの成長マトリックス：4類型が議論の端緒になる。

ポスト・コロナ時代の事業再構築には相当のリスクが想定されるため，事前の検討が欠かせない（境 2020；2021a；2021b；2021c）。

(1) アンゾフの成長マトリクスの定義

アンゾフの成長マトリクスとは，企業が事業拡大を図る際，成長戦略を分析・検討するために用いられるフレームワークである。経営学者であり事業経営者であったイゴール・アンゾフ（Harry Igor Ansoff 1918-2002）が Corporate Strategy『企業戦略論』（邦訳）で提唱した理論で，「成長ベクトル」や「事業拡大マトリクス」とも呼ばれる。アンゾフの成長マトリクスでは，「製品*」と「市場」の2つの軸を置く。その2軸を「既存」と「新規」に分けた4象限のマトリクスで成長戦略の方向性を示す（アンゾフ 1985）。

(2) アンゾフの成長マトリクスの目的

アンゾフの成長マトリクスは，企業が事業の成長戦略を考えるときに効果的である。異なる状況を持つ4つのカテゴリーに分類することにより，それぞれの問題を洗い出し，自社の現状や成長の可能性を可視化できる。

既存の市場のままで戦略を練るのか，新しい市場を開拓するのかなど，状況が異なれば対応も異なる。また既存の製品のままで，ビジネスを発展させる手立てを考えるのか，新しい製品を開発してビジネスを成長させるか，対策の施し方で結果も違ってくる。アンゾフの成長マトリクスではビジネスの成長戦略に関して4つのオプションを導き出し，企業がどの方向に戦略の舵を切ればいいのか検討する際に意思決定する助けになる。

市場と製品の2軸を縦軸と横軸にとり，さらに既存市場と新規市場，既存製品と新規製品にそれぞれ2分割して，市場と製品の異なる組み合わせ，4つの成長の可能性を探る。

(a) 市場浸透（既存市場×既存製品）

市場浸透は市場も製品も既存のままである。新しく顧客を開拓するわけではなく，目新しい製品をリリースするわけでもない。すでに市場が形成されてい

＊「製品」を「商品」に代えても可。

る状況のなかで，いかに既存製品の売り上げを伸ばすかがポイントである。ビジネスを展開しやすくリスクも少ない一方で，同じ市場の中に新規参入してくるライバル企業があれば，想定ほど成長できない可能性もある。

(b) 新市場開拓（新規市場×既存製品）

新市場開拓では製品は変えず，新しい市場を開拓することにより成長する方法である。これまでターゲットにしていなかったところで顧客を獲得する方法を模索する。新しい市場を展開するにあたっては，事業の成長につながるところにアプローチすることがポイントである。そのためには，事前にどのくらい需要が見込めるかなどを詳しく調査，分析することも必要になる。狙いが外れれば想定ほど売上を伸ばせないケースもあるため，市場浸透よりもリスクは高くなる。

(c) 新製品開発（既存市場×新規製品）

新製品開発ではターゲットとする市場はそのままに，新しい製品を開発して成長につなげる。既存の顧客に新しい製品を作ったり，新規サービスをスタートさせたりする方法である。ただし，顧客に新製品が受け入れられなければ売上は伸びない。また新製品の開発には，物理的および人的な資源を投入する必要があるためコストもかかり，リスクも高くなる。

(d) 多角化（新規市場×新規製品）

製品を新しく開発し，かつ新しい市場も開拓するのが多角化である。新しい市場の開拓と新規製品の開発という高リスクを両方一度に実行するため，4つの手法の中では最もリスクが高い。

富士フイルム（株）の本業は，写真フィルムであったが，2000年代に入るとデジタルカメラへの移行により，写真フィルムの市場は大幅に縮小した。同社の全体の売上・利益の6-7割を占めていた写真フィルムを中心とした写真関連事業が本業消失の危機にあった。その際，同社は写真フィルムの開発・生産で培った技術を棚卸し，それらを応用できる分野を検討し，多角化戦略を推進した。新製品開発戦略や新市場開拓戦略により，多くの事業を展開し成長を遂げているが，多角化戦略で特に大きな成功を収めたのがヘルスケア事業である。写真分野の技術はヘルスケア分野の技術と親和性が高く，技術面でのシナジー効果が期待できた。そこで同社は，蓄積してきた高い技術力を活かして，医薬品の研究や，再生医療，化粧品などのライフサイエンスの研究を進めた。

その結果，2019年3月時点で，同社のヘルスケア分野は売上構成比の約20%を占めている。

5. クリステンセン『イノベーションのジレンマ』：革新の内包する矛盾

クレイトン・クリステンセン（Clayton M. Christensen 1952-2020）はアメリカの実業家，経営学者である。初の著作である『イノベーションのジレンマ』によって破壊的イノベーションの理論を確立させたことで有名になり，企業におけるイノベーションの研究における第一人者である。また，イノベーションに特化した経営コンサルティング会社であるイノサイトを共同で設立し，ハーバード・ビジネス・スクール（HBS）の教授も務めた（クリステンセン 2001）。

ブリガムヤング大学経済学部を首席で卒業後，オックスフォード大学の経済学修士，ハーバード・ビジネス・スクールの経営管理学修士，経営学博士を取得した。ボストン・コンサルティング・グループではコンサルタントおよびプロジェクトリーダーとして1979年から1984年を過ごし，製造業向けのコンサルティングサービスに貢献した。その後，1984年にはMITの教授数名と共同でCeramics Process Systems Corporationを設立し，会長兼社長を務めた。

1992年からハーバード・ビジネス・スクールの教員となり“Building and Sustaining a Successful Enterprise”というコースを担当している。この間，わずか2年で博士課程を取得し，その博士論文は，最優秀学位論文賞，ウィリアム・アバナシー賞，ニューコメン特別賞，マッキンゼー賞の全てを受賞した。

2000年にはイノサイトも設立する。さらに，2005年には関連会社Innosight Venturesを立ち上げ，シンガポールにおけるベンチャーキャピタルも手掛ける。ここでの経験を生かし，Rose Park Advisors という投資会社も 2007 年に設立した。イノベーションと企業の成長に関する研究が評価され，最も影響力のある経営思想家トップ 50 を隔年で選出する THINKERS50 のトップに 3 回連続で選ばれた（境 2020；2021a；2021b；2021c）。

◆クリステンセン イノベーション 3 部作

● *The Innovator's Dilemma: When New Technologies Cause Great Firms to Fail*, Clayton M. Christensen, Harvard Business School Press, 1997.（玉田俊平太 監修，伊豆原弓 訳『イノベーションのジレンマ―技術革新が巨大企業を滅ぼすとき』翔泳社，2001 年。）

● *The Innovator's Solution: Creating and Sustaining Successful Growth*, Clayton M. Christensen, Michael E. Raynor, Harvard Business School Press, 2003.（玉田俊平太 監修，櫻井祐子 訳『イノベーションへの解―利益ある成長に向けて』翔泳社，2003 年。）

● *Innovation and the General Manager*, Clayton M. Christensen, Harvard Business Press, 2003. *Seeing What's Next: Using the Theories of Innovation to predict Industry Change*, Clayton M. Christensen, Scott D. Anthony, Erik A. Roth, Harvard Business Press, 2004.（宮本喜一 訳『明日は誰のものか―イノベーションの最終解』ランダムハウス講談社，2005 年。櫻井祐子 訳『イノベーションの最終解』翔泳社，2014 年。）

クリステンセンの唱えた「イノベーションのジレンマ」という現象は，業界における市場シェア首位や成功していると評価される企業が市場における消費者，顧客の様々な要望・意見を収集した結果，製品サービスの品質をより向上させて生産・提供することが，想定外に他社との競争とイノベーションに劣後する結果を生み，地位を下落させる失敗に陥るというものである。革新的な技術やビジネスモデルにおいて競争に勝った企業が，大企業化すると革新性を失う状態や最先端の技術開発をしても成功に結びつかない状態などもこれに相当する（クリステンセン 2001）。

クリステンセンは，成功企業がイノベーションのジレンマとよばれる失敗に陥る理由として，主に3つの理由をあげる。

最初に，破壊的な技術は，製品の性能を低下させ，そのため，既存技術で成功している大手企業の多くは破壊的な技術に関心が低いこと。

次に，技術の進歩の度合いが市場の需要を上回ることがある。技術が市場の需要を上回っているにもかかわらず，首位企業は最上級レベルの技術向上を止めないため，市場はそれへの関心やプレミアム評価が追いつかない。逆に，比較的に性能が低くても顧客の需要を満たす新技術をもった新規企業に市場を奪われるすきを与えてしまうこと。

最後に，成功している企業の顧客構造と財務構造は，新規参入の企業と比較して，投資内容に重大な影響を与える。破壊的技術が低価格で利益率が低い，あるいは市場規模が小さいなど，既存の技術で成功してる企業にとって魅力を感じず，参入のタイミングを見逃してしまうこと。

6. オライリー／タッシュマン『両利きの経営』：二兎を追う経営，意義と課題

(1) 両利きの経営の背景と概要

チャールズ・A・オライリー／マイケル・L・タッシュマン O'Reilly, Ⅲ, Charles A. and Tusman, Michael L. 入山章栄 監訳／冨山和彦 解説／渡部典子 訳『両利きの経営―「二兎を追う」戦略が未来を切り拓く』東洋経済新報社，2019年2月，原著タイトル「*Lead and Disrupt: How to Solve the Innovator's Dilemma*, 2016」

「両利きの経営」は，1991年にスタンフォード大学のジェームス・マーチ教授が発表した，「Exploration and Exploitation in Organizational Learning（組織学習における探索と活用）」によって広く知られるようになった。この論文で示された概念をもとに，チャールズ・オライリー教授とマイケル・タッシュマン教授が，クレイトン・クリステンセン教授のイノベーションのジレンマを起点に，実務の世界に適用可能な理論としてつくりあげたと言われる（境

2020；2021a；2021b；2021c)。

両利きの経営の要点は「探索と深化」を意識し，既存事業の強化と新規事業の開拓を並行する点にある。また，ここで言う「探索と深化」は，次のように定義できる（オライリー／タッシュマン 2019)。

探索：認知の範囲を拡げ，新たなアイデアの種を創り出すこと。
深化：探索した範囲から，成功の見込みのあるアイデアを選び深堀りし，質を向上させること。

一般的に，企業はすでに利益を上げている既存事業に対し，ブラッシュアップやコスト削減を行い，さらなる利益獲得を目指す。これが「深化活動」につながるが，そのためには新しい知見の獲得が必要である。また，新規事業を開始するためには，技術開発や市場リサーチ，人材獲得・育成などリスクを伴う探索活動が必須である。この「リスクとコストを擁する探索活動」+「価値と成果をもたらす深化活動」のバランスをとりつつ，「積極的に二兎を追う」経営が両利きの経営の本質とされる（オライリー／タッシュマン 2019)。

(2)　両利きの経営は変化と破壊への処方箋

コロナ禍のように「不安」「不透明感」が先行する状況では，過度の「守り」に徹する企業が少なくない。政府が主導する対策でも「事業の継続」「雇用調整」を目的とした補助金が大半であり，どうしても意識は「守り」に支配される。さらに既存事業の維持と雇用を守るために探索活動が停滞（もしくは中止）させ，既存事業の強化につながる知見や，新規事業創出の土台が失われる。このような状況は，「コンピテンシー・トラップ」を加速させ，将来の成長力を奪ってしまう（ベンチャーネット 2021)。

コンピテンシー・トラップ（competency trap)：既存事業の深化だけに経営資源を傾けすぎた結果，知見を持つ領域が狭くなり，イノベーションが停滞する，言い換えると，得意分野だけに注力するあまり，視野狭窄に陥り，新しい「稼ぎ手」を創り出す力がなくなる状態を指す。

(3)　両利きの経営による「経営シフト」が企業を守る

近年，国内外の大手・優良企業が両利きの経営を実践し，収益基盤の強化に成功している。例えば，Amazon はネット通販事業の最大手として名を馳せたあと，素早くクラウドコンピューティングプロバイダ事業に投資して「AWS」をリリースした。AWS は現在，世界三大クラウドプロットフォームの1つにまで成長し，同社の主力事業である。国内では，ビール会社のキリンが発酵関連の知的財産を活かし，バイオ・農業の分野で事業を成立させた。

これらはまさに，深化と探索による両利きの経営の賜物である。コロナ禍のように意識・生活様式の変化が起こる環境では，製品・サービスのニーズも激しく変動する。既存事業は常に収益力低下のリスクにさらされるうえに，予測も難しい。そのため，企業には「転身」を積極的に狙いながら，既存事業の収益も確保するという攻め方が求められる（ベンチャーネット 2021)。

(4)　両利きの経営を成功させた企業の共通点

両利きの経営を成功させた企業には，ある共通点がある。それは「コンピテンシー・トラップの回避」である。要は，得意分野だけに注力するあまり視野狭窄に陥り，新しい「稼ぎ手」を創り出す力を失わないよう，深化と探索のバランスを維持している。両利きの経営を用いて収益基盤を強化した企業は，このコンピテンシー・トラップを回避するため，意識的に「探索（新規事業に関する知見獲得や投資・育成)」を続け，中核事業を徐々に変化させながら，華麗なる転身を達成している。(オライリー／タッシュマン 2019)

これは，コロナ禍で生ずる変化や破壊的イノベーションへの対応策として優れている（ベンチャーネット 2021)。

(5)　両利きの経営の中小企業への適用

両利きの経営は大企業の成功事例が多い理論であるが，今後は中小企業でも必要とされるようになる。大資本を持たない中小企業の場合は，「人」と

「ツール」によって知的探索の効果を高めていく必要があると考えられるからである（ベンチャーネット 2021）。

(6)　両利きの経営に関する課題・批判

両利きができればよいことは明らかであるが，現実にはそれをどうやるかが一番の論点であり，フレームワークと原則を並べて解決する問題ではない。また，なぜスピンアウトより既存組織での両利きが良いのかの理由も必ずしも明らかではない。実際には既存組織での失敗の方がはるかに多い。彼らの研究の端緒となった，クリステンセンの「イノベーションのジレンマ」という原点こそが再読されるべきである。

私見：原著の和訳タイトルとして，「両利きの経営」という表現は本来はしっくりこない。本文に登場する「ambidexterity」を訳して書籍タイトルにしている。両利きの経営のキーワード自体は新規性があってよいのだが，原題からすれば，「深化」と「探索」の経営，既存事業／新規事業の経営シフトバランなど，他訳もありえたのではないか。出版社の販売戦略が見え隠れする。

7.　コッター『企業変革力』：リーダーシップによる変革創造

リーダーシップが最も強く求められるのは企業変革の場面である。近年のリーダーシップ論の第一人者であるジョン・P・コッター（John P. Kotter）教授は，多くの企業が変革に失敗している点に着目し，その理由を解明するとともに，いかにその成功確率を高めるかということを研究した。そこで提唱されたのが，変革のための8段階のプロセスである。変革を行うリーダーは，このプロセスを安易にスキップすることなく，適切に踏襲していくことが求められる。企業変革の必要性が高まっており，20年前の著書であるが，注目される（境 2021a，コッター 2002）。

(1)　8 段階の企業変革プロセス

1980 年代以降，アメリカの企業は，新技術の導入，戦略の大転換，リエンジニアリング，合併・買収，事業再編，技術革新の促進，社風の改革といった大規模な変革に取り組んできた。しかし，その多くが失敗に終わっている。

ジョン・コッターはその事例を分析し，大規模な変革が進まないのは，8 つの「つまずきの石」が原因であると言う。すなわち，内向きの企業文化，官僚主義，社内派閥，相互の信頼感の欠如，不活発なチームワーク，社内外に対しての傲慢な態度，中間管理層のリーダーシップの欠如，不確実に対する恐れである。そしてこれらのつまずきの石を乗り越え，大規模な変革を推進するために，以下の 8 段階のプロセスが有効であると主張する（コッター 2002，嶋田 2015）。

(a)　危機意識を高める

市場と競合の状況を分析し，自社にとっての危機や絶好の成長機会を見つけ，検討することにより，変革に携わる関係者の間に「危機意識」を生み出すことができる。これがまず，変革を成功させる第 1 ステップになるとコッターは強調する。

(b)　変革推進のための連帯チームを築く

変革をリードするための十分なパワーを備えたチームを築くために，変革の担い手を集める。変革推進チームには，変革の主導に必要となるスキル，人脈，信頼，評判，権限があることが望ましい。

(c)　ビジョンと戦略を生み出す

変革に導くためにビジョンを生み出し，ビジョンを実現するための戦略を立案する。成功した変革では，変革推進チームが簡潔で心躍るビジョンや戦略を策定している。コッターはビジョンを「将来のあるべき姿を示すもので，なぜ人材がそのような将来を築くことに努力すべきなのかを明確に，あるいは暗示的に説明したもの」と定義する。さらに，優れたビジョンに備わる特徴として，①「目に見えやすい」（将来が可視化されている），②「実現が待望される」（従業員や顧客，株主などステークホルダーが期待する長期的利益に訴える），③「実現可能である」（達成可能な目標から生み出されている），④「方向を示す」（意思決定の方向が示されている），⑤「柔軟である」（変化の激しい状況において個々人の自主的行動と選択を許容する柔軟性を備えている），⑥「コミュニケートしやすい」（5分以内で説明することが可能である）の6つを挙げている。

(d) 変革のためのビジョンを周知徹底する

単純で琴線に触れるメッセージをいくつものチャネルを通して伝え，ビジョンや戦略を周知徹底する。あらゆる手段を活用して，継続的に新しいビジョンと戦略をコミュニケートすると同時に，変革推進チームのメンバー自らが，従業員に期待する行動のモデルになることも重要である。

(e) 従業員の自発を促す

ビジョンが周知徹底されることで自発的に行動する人が増えていくように，変革を阻む障害を取り除くことが重要である。障害となりうる組織構造やシステムを変革することで，従業員がリスクを取り，いままで遂行されたことのないアイデア，活動，行動の促進が可能となる。

(f) 短期的成果を実現する

業績上で目に見える短期的成果を生む計画を立案し，実際に短期的成果を生み出す。これらの短期的成果に貢献した人々をはっきりと認知し報酬を与える。

(g) 成果を生かして，さらなる変革を推進する

短期的な成果をテコとして変革に勢いをつけ，変革のビジョンに馴染まないシステム，構造，制度を変革する。また，変革ビジョン推進に貢献する人材の採用，昇進，能力開発を行い，当初の変革を定着させる。

(h) 新しい方法を企業文化に定着させる

変革ビジョンに基づいた新しい方法と企業の成功の関係を明確に示し，各階層のリーダーが変革を根づかせる。また，リーダーや後継者の育成を進めていくことにより，変革を企業文化として定着させる。

コッターはこの8段階について，第1段階から順を追って進めることが重要で，途中のプロセスを飛ばしてはいけないと強調している。

8. ティース『ダイナミック・ケイパビリティの企業理論』：経営資源の能力と新たな価値評価

(1) 不確実な世界における企業の経営戦略

dynamic capability（ダイナミック・ケイパビリティ）とは戦略経営論における学術用語であるが，敢えて訳語を当てるならば，「企業変革力」になろう。

ダイナミック・ケイパビリティ論は，カリフォルニア大学バークレー校ハース・ビジネススクール教授のデイヴィッド・J・ティース氏（David J. Teece）によって提唱され，近年，注目を浴びている戦略経営論である。

ダイナミック・ケイパビリティ論が発展し，注目されるようになった学説史的な経緯は，以下の通りである（境 2021a，ティース 2019）。

1980年代にハーバード大学のマイケル・ポーター氏（Michael Porter）が「競争戦略論」を展開した。ポーター氏の「競争戦略論」は，産業構造や業界の状況が企業の戦略行動を決定し，さらには企業の業績を決定するという議論であった。しかし，多くの実証研究から，同じ産業や同じ業界の内部でも企業の戦略行動や収益率に差異があることが明らかになり，「競争戦略論」の限界が指摘されるようになった。

このような中，企業の戦略行動や業績を決定しているのは産業構造や業界の状況ではなく，企業内部にある固有の資源であるという「資源ベース論」が登場するようになった。資源ベース論はさらに，自社の強みである固有の資源を利用する能力（ケイパビリティ）こそが，企業の競争力の源泉であるという見方へとつながった。ただ，企業固有の資源（自社の強み）もまた，環境や状況が変われば不適合なものとなり，企業の硬直性を招き，かえって企業の弱みへと転じかねない。

では，企業は，どのようにすれば，変化する環境や状況の中で，持続的に競争力を維持できるのであろうか。このような問題意識を背景にして提出された戦略経営論の１つが，「ダイナミック・ケイパビリティ論」である。

ダイナミック・ケイパビリティとは，環境や状況が激しく変化する中で，企業が，その変化に対応して自己を変革する能力のことである。それゆえ，今日のように，世界の不確実性が急激に高まっている時代において，製造業の在り方を考える上で，このダイナミック・ケイパビリティ論は多くの示唆を与える（ティース 2019）。

(2)　企業変革力（ダイナミック・ケイパビリティ）とは

現状の企業行動が，環境や状況の変化に適合しなくなったかどうかを常に批判的に感知し，適合しなくなったと判断した場合，企業を変革することである。その変革に成功すれば，企業は，新たに構築されたオーディナリー・ケイパビリティの下で，再び効率性を追求することができる。

ティース氏はダイナミック・ケイパビリティを，さらに次の３つの能力に分類している（ティース 2019）。

感知（sensing）：脅威や危機を感知する能力
捕捉（seizing）：機会を捉え，既存の資産・知識・技術を再構成して競争力を獲得する能力
変容（transforming）：競争力を持続的なものにするために，組織全体を刷新し，変容する能力

このダイナミック・ケイパビリティの中でも中核となるのは，資産を再構成（オーケストレーション）する企業家的な能力である。そのような能力は模倣することが難しいものであり，したがって，外から購入するよりは，企業内部で構築しなければならない。逆に言えば，このような能力は，企業の長年の学

習によって構築された文化・遺産の産物であるがゆえに，他企業には模倣困難なものとなり，かつ長期にわたって維持されるものである。ティース氏は，次のように述べている。

「強いダイナミック・ケイパビリティによって，企業とそのトップマネジメントは，消費者の好み，ビジネス上の問題，そして技術発展の進化について推測を展開でき―その推測の正しさを確かめたり，それを微調整したりできる―，それから，継続的なイノベーションや継続的な変化を可能にするための資産や活動を再構成することによって，その推測に基づいて行動できるようになる。首尾よく強いダイナミック・ケイパビリティを構築した企業が戦いを挑むことができるのは，いま自社が所有している資源に溺れ，顧客ニーズの変化を無視し（またはそれを知らず），現状を大事にし，企業家たちに権限を与えることに失敗し，エージェントを変えることに失敗し，そしてイノベーションよりも効率性を優先するような競争相手である。」（ティース 2019）

ティース氏によると，企業のケイパビリティは，「オーディナリー・ケイパビリティ（通常能力）」と「ダイナミック・ケイパビリティ（企業変革力）」の2つに分けることができる。

オーディナリー・ケイパビリティとは，与えられた経営資源をより効率的に利用して，利益を最大化しようとする能力のことである。それは，労働生産性や在庫回転率のように，特定の作業要件に関して測定でき，ベスト・プラクティスとしてベンチマーク化され得るものである。企業にとってオーディナリー・ケイパビリティを高めることが根本的に重要であることは明らかである。しかし，オーディナリー・ケイパビリティだけでは，企業は競争力を維持できない。

環境や状況の変化に応じて，企業内外の資源を再構成して，自己を変革するダイナミック・ケイパビリティを高めることが必要となる（ティース 2019）。

(3)　価値創造の原理（co-specialization）

ダイナミック・ケイパビリティの中核にあるのは，資産を再構成する企業家的な能力であるが，この再構成の意義を説明するに当たって，ティース氏は

「共特化」(co-specialization) の原理を強調している。

共特化の原理とは，2つ以上の相互補完的なものを組み合わせることによって，新たな価値を創造することである。共特化の原理は，経済社会の至るところで観察することができる。

例えば，自動車とガソリンスタンドの関係，美術館と館内カフェの関係，コンピュータのオペレーティング・システムとアプリケーションの関係，クレジットカードとそれを利用できる店舗の関係には，共特化の原理が働いている。

共特化の原理を働かせることで，企業は，差別化製品の提供が可能になるだけではなく，費用を節約することができる。共特化の原理が働く資産を識別し，投資する経営者の能力は，企業の競争力にとって決定的に重要である。ダイナミック・ケイパビリティとは，環境や状況の変化に対応するために，共特化の原理に従って，組織内外の資産を再構成し，新たな価値を創造することともいえる。

9. リース『リーン・スタートアップ』：情報収集，方向転換，ビジネスモデル構築の迅速化

エリック・リース (Eric Ries) は起業家であり，「スタートアップの教訓 (Startup Lessons Learned)」というブログを執筆した。企業のパートナー，共同創業者を経て，ビジネス関連のイベント開催，講演，スタートアップや大企業，ベンチャーキャピタルに事業戦略や製品戦略のアドバイサーもつとめた。

2008年にリースは新しいビジネスを創出するためのモデル (型) を提唱すべく，『リーン・スタートアップ』を発表した。リーン (Lean) とは「効率的」「無駄のない」という意味であり，彼によれば，「起業家が自らの思い込みで，コストや労力をかけて商品やサービスを作ってしまい二転三転する企業活動」のアンチテーゼとして掲げられた。リーン・スタートアップでは，着想したアイデアだけで突き進むのではなく，「市場の変化をよく見て初期の顧客を獲得し，ゴールに向かって最短で進む」ことの大切さを物語る (リース

2012)。

そもそも言葉の定義として，ベンチャー企業とスタートアップは全く異なる。スタートアップとは，「新しいビジネスモデルを開発し，ごく短時間のうちに急激な成長とイクジット（exit)* を狙う一時的な集合体」である。ベンチャー企業と違い，ビジネスモデルが確定されていないため，最初は収益の目処が立たないのである。

「リーン」という言葉を初めてビジネスの文脈で使用したのが，マサチューセッツ工科大学のジョン・F・クラフィック（John F. Krafcik）であり，その論文「Triumph of the Lean Production System」である。トヨタ自動車が編み出した生産管理システム（トヨタ生産方式）を体系化し，「リーン生産方式」という呼び名で紹介されている。

リーン・スタートアップの概念は４つのサイクルで成り立っている。(リース 2012)

仮説：まず顧客ニーズの「仮説」を立てる。

構築：そのニーズを満たすアイディアを「構築」し，MVP（Minimum Viable Product）といわれる実用最小限の製品を，コストをかけずに開発する。

計測：流行に敏感な消費者に提供して反応をみる「計測」を行う。

学習：そして，その反応の結果を製品に反映させる「学習」を行う。

この４つのサイクルをできるだけ迅速に回して，発生するコストを最小限にしながらも前例のない新しいビジネスを創造することを目指す。

そのプロセスの管理とは，「仮説構築→実験→学び→意思決定」のプロセスを回し，立証された仮説を積み重ねていくことを指す。

アイデアとはその時点では思いつき，仮説でしかない。それらは立証されて初めて価値を持つ。そのため，アイデアを定性・定量いずれかの形で検証できる仮説に落とし込むこと必要がある。

＊ベンチャービジネスや企業再生において，創業者やファンド（ベンチャーキャピタルや再生ファンドなど）が IPO やバイアウト等でを通じ株式を売却して，最終的に大きなリターンを狙う収益モデルである。

スタートアップの目的は，既存マーケットにおける新規事業開発ではなく，新たなビジネスモデルを作り上げることにある。不確実性の高い状況では，仮説を細かく分解し，検証のサイクルを小さく多く回すことによりムダが少ない，小さな仮説を積み上げて効率的なプロセスになる。

リーン・スタートアップを構成する要件が主に3つある。(a) pivot　ピボット：方向転換　(b) MVP　Minimum Viable Product，(c) Lean Canvas　リーンキャンバス　である（境 2021b；2021c）。

まず，pivot　ピボットとは，途中で仮説に大きなギャップが発生し，MVPを受け入れがたい時に行う方向転換の行為である。ピボットを行い市場や顧客のニーズに合わせて軌道修正することで成功確率が高まる。

次に，MVP　Minimum Viable Product　とは目的仮説の検証のための，学びのための手法である。MVPを精度よく開発できるか否かがリーン・スタートアップの成功のカギとなる。そのためには，ユーザーが求める本当の価値について確かな情報を得ておくことが必要となる。

最後に，Lean Canvas　リーンキャンバス　はMVPによって検証される仮説を立てるための要素を図式化したものである。ビジネスモデルキャンバスをもとに，スタートアップ用に修正を加えたものである。

本質的な理解がないと，想定外のことが発生した際の意思決定が表面的なものに終わる。最適な意思決定である必要がある（リース 2012）。

スタートアップが開発しているのは製品ではなく，ビジネスモデルである。そこでリーンキャンバスでは，ビジネスモデルを構成する要素を9つに分解している。

Problem：抱えている課題は何か。
Customer Segment：どのような人がターゲットなのか。
Unique Value Proposition：競合に対してどのような独自性があるか。
Solution：課題を解決する方法は何か。
Channel：顧客に対してどのようにアプローチするのか。
Revenue Streams：どのような収益モデルか。
Cost Structure：どれだけのコストが発生するか。

Key Metrics：このビジネスモデルを評価する上で大切になる指標は何か。

Unfair Advantage：競合に対しての参入障壁は何か。

10. 南場智子『不格好経営：チーム DeNA の挑戦』：論理より感性，熱意

起業家はみな同じ修羅場を潜り抜けているといわれるが，南場智子氏の場合，名門コンサルティング会社であるマッキンゼーにてパートナー（役員）に就任，その後に退社し，DeNA の創業まで3年間という短期間に劇的な展開をとげた。

さらに，2011 年夫の看病に専念するため，一度は，会社の代表取締役社長を退任した後，2016 年に夫の死去を経て，2017 年に代表取締役に復帰し，守安功氏とともに最高経営責任者（CEO）との2人体制となった。

2020 年，女性初の日本プロ野球オーナー会議議長に就任，そして 2021 年，女性初の日本経済団体連合会副会長に就任した。

本書の主要な目次を確認すると，第1章 立ち上げ　第2章 生い立ち　第3章 金策　第4章 モバイルシフト　第5章 ソーシャルゲーム　第6章 退任　第7章 人と組織　第8章 これから　計8章から構成される。

(1) 南場氏の言葉

○選択に正しいも誤りもなく，選択を正しかったものにする行動があるかどうかだけだと信じています。

○生き甲斐は処した困難の大きさに比例する。

○会社に迷惑をかけたくないと遠慮する人が多い。でもときには会社の仲間や社会に頼るのもよいではないか。得るものと与えるものは，その瞬間でバランスが取れている必要は無い。時間をかけてバランスさせようと努めればいい。

私見では南場氏は男前であり，社長が一番，前のめりといえる。

本書では，経営者である南場氏自身の「本音」「失敗体験」が率直に語られている。ハーバード・ビジネス・スクールMBA取得，マッキンゼー出身という輝かしい経歴を持つ南場氏が，泥臭く感情豊かに，失敗の連続であったDeNAの歴史，その不格好な経営について，論理よりも感性，熱意をもって語っている（南場 2013)。

起業は論理だけではない。過去の輝かしい学歴やコンサルタントの業績を捨てて起業することは，決して容易なことではない。が，南場氏は即断即決を厭わない稀有な人物であり，勇気をもって新たな人生の扉を開けたといえる。「経営とは，不格好なものだが，最高におもしろい。」といえる。様々な逸話，人生の教訓，教えがある（南場 2013)。

(2)　経営者・パートナーとの対話

人材に恵まれ，さらに良い人材を確保するためにあらゆる努力を惜しまなかった

ベンチャーにとって資産は人材しかない。最高の人材に仲間に加わってもらうために，できる限りのことをすべきである。良い人材であれば，いくらでも仕事は作れるし，会社に付加価値を付けてくれる。

(a)　川田尚吾氏

会社の組織風土は創業期のメンバーの個性によって規定される。DeNAの風土は，共同創業者である川田尚吾氏によるところが大きい。DeNA内部の清々しさ，気持ちのよさは，川田の人格と仕事へのスタンスが組織に乗り移ったものだと思っている。誰よりも働く，人を責めない，人格を認める，スター社員に嬉々とする，トラブルにも嬉々とする。一歩でも前に進むことしか考えない。その川田の姿勢が，成功やアイデアの帰属よりもチームの成功を優先し，「誰」でなく「何」を重視するDeNAの文化を築いた。

(b)　守安功氏

私は賢い人が集まるとされるコンサルティング会社時代を含め幾人もの天

才，秀才を見てきたが，守安功氏は数字と論理に強くビジネスセンスにも長けていた。人格は，責任感が強くフェア。権威におもねることがない。一番尊いことは，自分の利益や感情と物事の善し悪しの判断を決して混同しない清々しさである。一見傲慢であるが，実は謙虚でよく学ぶ。そして，いびつなところがチャーミングで，愛されるというのも経営トップとして大きなポイントだった。（南場 2013）

(3)　コンサルタントと経営者の違い

実現可能か分からない高い目標を掲げて，それをひたすら追求する 2004 年 3 月期，売上 16 億円のときに，3 カ年計画で売上 100 億円，営業利益率 20% 以上という目標を発表した。売上の達成方法は何もわかっていないなかで，成長を重視して，強くそれを打ち出した（南場 2013）。この目標は結果的に実現する。

戦略コンサルタントという人種は物事を常に論理的に積み上げて考えて行くため説明できない数字を目標に掲げるのを避ける。むしろ目標設定ができるのは非常識な起業家だけである。しかし，本書で南場氏はコンサルタントとして学んだことを必死に忘れていった（unlearning した）と述べている。経営者の思考は本来，論理的なものなのに，論理を超えた強い思いを形にすることを身に付けたときに，企業家に脱皮していくのであろう。実現する可能性が低くても，まずは未来を信じて，大きな夢を思い描くべきではないか（境 2021b；2021c）。

(4)　将来性のある若手との対話

潜在能力の高い若手に任せ，自分は必要な意思決定を行ってきた。その代表例が赤川隼一氏である。

ヤフーとの提携を全面的に取り仕切ったのは，当時入社 4 年目の赤川隼一氏だった。現在 20 代後半でありながら，執行役員に就任している。彼が社長室長になりたての頃，守安氏に呼ばれ，韓国どうするか 1 カ月で考えるようにと企画を丸投げするように任された。1カ月後の赤川氏の提案をもとに，同社の韓国戦略は動き出す（境 2021b；2021c)。

(5)　南場氏の意思決定

南場氏は経営者として意思決定の要諦を理解し，実践してきた。南場（2013）の第7章には南場氏の経営哲学が反映している。

意思決定のプロセスを論理的に行うこと悪いことではない。しかしそのプロセスを皆とシェアして，決定の迷いを見せないことが重要である。ともに検討するメンバーには一定人数必要であるが，決定したプランを実行チーム全員に話すとき，成功するという信念を前面に出した方がよい。企画段階では予測できなかった難題が次々と襲ってくるものであり，その壁を毎日超えていかなければならない。迷いのないチームは突破力が強い。また，不完全な情報に基づく迅速な意思決定が，充実した情報に基づく緩慢な意思決定に数段勝ることも学んだ。コンサルタントは情報を求め，情報を集め分析をする。が，実行する前に集めた情報は結局役にたたないものである。(p.204-205)

11. 冨山和彦『コーポレート･トランスフォーメーション　日本の会社をつくり変える』：企業概念の再構築，社会革新の処方箋

日本版コーポレートガバナンス・コードが制定されてから2020年時点で5年が経過する。全上場銘柄のうち，コード制定前に社外取締役を導入していた企業は3分の2程度であったが，直近ではほぼ全銘柄が社外取締役を導入している。ROE（自己資本利益率）* については，マクロ環境が厳しく，改善ペー

---

* ROE（自己資本利益率，Return On Equity）ROEとは，企業が株主の出資金をいかに効率的に使っているかを表わす指標である。
  ROE＝当期純利益／株主資本（評価・換算差額等含む）
  （株主資本（評価・換算差額等含む)＝純資産－新株予約権－少数株主持分）
  ROEが高いことは，株主が出したお金を企業がより効率的に運用できていることを意味し，株主にはROEが高ければ余剰利益を分配してもらえる期待が高くなる。ROEは10%程度あれば高い。

スは遅いものの，直近期でROEが8%以上であった銘柄は全体の半数を超えている（冨山 2020a）。

新型コロナウイルスによるパンデミックは，社会，経済に大きなイノベーション（変革と破壊）をもたらしている。感染死者数を低い数字に抑え込むことに成功しても，感染流行からの回復期において経済的回復に手間取ることによって困窮に起因した多くの人生の悲劇を招く危険性があり，さらには深刻な経済不振が政治的な不安定やポピュリズム，戦争の誘惑を生むことも人類史の教訓である。経済の持続的な復興なくして真の回復はない（冨山 2020a，境 2021b；2021c）。

本書の主要な目次を確認すると，第1章　今こそ「日本型経営モデル」から完全に決別せよ　第2章　両利き経営の時代における日本企業の現在地　第3章　CX＝「日本の会社を根こそぎ変える」を進める方法論　第4章　日本経済復興の本丸―中堅・中小企業こそ，この機にCXを進めよ　第5章　世界，国，社会，個人のトランスフォーメーションは，どこに向かうのか？　おわりに　CXから良い社会の再構築を始動しよう　計6章から構成される。

(1)　「日本的経営」モデルからの決別

わが国においては，日本企業自身が旧来のモデルと決別し，新しいモデルを作り直す必要がある。1960年頃からの高度成長とともに形成・確立された「日本的経営」モデルで日本がピークを迎えて30年間，グローバル化が進みプレーヤーが増える大きな環境変化に加え，デジタル革命の進展によりイノベーションが起きた。当該環境のもとで，改良・改善を旨とした同質的，連続的な日本の会社は，事業と組織の一定割合を短時間で入れ替えるような不連続かつ大きな方向転換が苦手な体質である。この「日本的経営」モデルは完全に行き詰った。その長期停滞に加えてパンデミックが襲来し，デジタル革命を加速せ

ROA（総資産利益率，Return on total asset）ROAとは，企業が総資本（借入金，株主資本）をいかに効率的に運用しているかを示す値である。この値が高い方が総資本を効率的に運用していることになる。
ROA＝当期純利益／総資産　ROAは，分子に当期純利益に代わり経常利益を用いてもよい。

ざるをえなくなっている（冨山 2020b）。

(2)　両利きの経営へのトランスフォーメーション

破壊的イノベーションの時代に企業経営を行うには，既存事業を「深化」して収益力・競争力をより強固にする経営と，イノベーションによる新たな成長機会を「探索」しビジネスとしてものにしていく経営を両立させる「両利きの経営」が求められる。

冨山和彦氏と早稲田大学大学院・入山章栄教授は日本に『両利きの経営』（チャールズ・オライリー，マイケル・タッシュマン共著）を紹介した。そこに登場する多数の事例研究からわかることは，両利きの経営／多元的な経営を持続的に実践するために必要な組織能力を企業が身につけることは容易ではない。その成否は経営・経営者によって左右される。

デジタル革命の新しいフェーズ／自動運転や遠隔医療など，リアル×シリアスフェーズは，ハードウェアやオペレーションに強い会社にとって脅威であると同時に大きなチャンスをもたらす時代でもある。この好機を活かすには，両利きの組織能力を身につける＝コーポレート・トランスフォーメーション（CX）が出来るか否かにかかる。

(3)　CX は企業に新ルール制定を迫る

今，求められる CX は，企業の根幹部分の改革であり，新ルール制定を迫るものである。組織能力の変革度を，旧ルールと新ルールで対比して示している。

(4)　CX には時間を要する

旧ルールと新ルールの対比で分かることは，CX は本質的で，長期間にわたりストレスを伴う継続的な改革である。CX を実現するためには，長期目標を設定する必要がある。10 年後の企業像を新ルールのイメージにいかに近づけるか。現在の事業ドメインと組織能力，ならびに，同じものの10年後を，抽象論ではなく，具体的なKPI（重要指標）とともに設定する。これがCX目標であり，現時点とギャップをいかに埋めるか，がCX基本計画となる。

経験則では，CXモードに最も影響を与えるのは代表取締役／社長の人事である。変革者の後にさらに強烈な変革者が登場すれば，CXは進み，自分自身をも変革しようと考え始める。さらに，破壊的変化が次々と起こる現代では，10年後のCX目標自体が流動的，可変的である点にも留意する必要がある。定期的に，当初の目標設定の妥当性を検証し，必要に応じて変更する必要もあろう。CXの真なる目標は恒久的にCXを続ける力，持続的な企業組織の変容力を獲得することにあり，変化に対応する組織能力を持つ企業が両利き経営の時代の勝者になるのである（冨山 2020b）。

(5)　勝負は5-10年で決まる

デジタル革命の最終段階が近づいている。これから5年から10年の間に，日本企業は過去の成功の呪縛から脱して，異次元のCX力，変容力を獲得するための組織の大改造を始動し，成功する道を歩むべきである。

12.　西山圭太，冨山和彦（解説）『DXの思考法　日本経済復活への最強戦略』：日本におけるDXの活用と業界の活性化

東京大学未来ビジョン研究センター客員教授の西山圭太氏は，日本企業の風土や決まり事を変革するCXを実現するためには，産業全体の転換／インダストリアル・トランスフォーメーション（IX）の時代に自らの地図を描くことを提言する（西山 2021a；2021b）。経産省では産業構造論を推進し，（株）産業革新機構，東京電力HD（株）での豊富な経験からデジタル化の本質を探る。

一方，解説を担当する，経営共創基盤（IGPI）グループ会長・冨山氏が，世界のDX，日本DXの課題を指摘しながら，アーキテクチャ認識力，思考力を持つ人材に恵まれることがIX時代における要件となると提言する。今後，

企業がなすべきことは「本棚にない本を探すことである」(比喩)。デジタル化の本質的な意味，IX の実相，IX 時代を勝ち抜くための能力要件を理解するうえで参考になる。本書は全9章から構成される（境 2021b；2021c)。

第1章では，DX 論と CX 論，それをつなぐ IX との関係，IX とデジタル化に対する理解，実現へのアプローチを示す。

第2章では，デジタル化時代において「具体ではなく抽象化」，汎用的なやり方で捉えていくこの重要性を示す。IX 時代の白地図を描く前に，日本のカイシャを支えてきた基本的な論理を振り返り，日本企業の伝統的な企業別労働組合，カイゼン活動，特に高度成長期を支えてきた「タテ割り」的発想，デジタル化時代における課題を浮き彫りにする。

第3章では，「深いレイヤー構造を使ったネットワーク」がデジタル化の形であることを示す。汎用的に捉える際，メカニズムを図形的表現／層・レイヤーを積み重ねる構造（菓子のミルフィーユの構造）を示す。ネットワーク論では「弱い紐帯の強さ The strength of weak ties」(M・グラノヴェター）が重要であり，イノベーションにつながる（Granovetter 1973)。

第4章では，深さのあるレイヤー構造について，デジタル化の白地図を詳細に解説する。中国のアリババが担うメカニズムにも言及する。デジタル時代の白地図は，サプライヤー軸の計算処理基盤とユーザー軸（UI-UX 軸）のデータ解析の2軸からなるレイヤー構造であることを示す。

第5章では，デジタル化の白地図を元に，自身の会社を DX に結びつけ，会社自体を書き込んでいく考え方を述べる。デジタル化ならびに IX の時代には，レイヤーをつくり続ける GAFA が支配するなか，日本産業など他プレイヤーにチャンスはあるか否か，議論している。本棚にない本を探し，自らがつくり，SaaS* などの形で世界に提供し，それで本棚を埋め，次第に本棚の形自体を変えていくことが，チャンスをつくりだすことになる。

第6章では，「本棚にない本を探して開発する」ために，大企業が取り組む留意点を整理し，スタートアップ企業との公正なパートナシップが不可欠であ

*一般にはインターネット経由で必要な機能を必要な分だけサービスとして利用できるようにしたソフトウェア／提供形態。

ると説く。ドイツが提唱したインダストリー4.0の3つの軸（ヒエラルキー軸・ライフサイクル軸・レイヤー軸）を紹介し，注目すべきは標準化を経てヒエラルキー軸からレイヤー軸に転嫁することである。

第7章では，会社の将来像を，サイバーとフィジカルの全体像として表現し，変化の可能性を取り込み，データを提供価値につなげ，その表現方法としての「アーキテクチャ」** という考え方を解説する。データと価値とが結びつくメカニズムはレイヤー構造であり，アーキテクチャで考えるときには，これまでの思考法から離れる必要がある。

第8章では，アーキテクチャは，街や暮らし，社会，政府のあり方とも関係するとして，社会全体あるいはガバナンスの観点からレイヤー構造の形をとるエコシステムをどのように捉え，どのように関わるべきかを議論する。スマートシティ・システムをシステムズ・オブ・システムズ（SoS）といい，社会のガバナンスを考えるうえで，社会全体をレイヤー構造と見立てて，アーキテクチャという手法を武器にすべきであると提言する。

デジタル化の進展は「グローバル」と「ローカル」との関係に新たな切り口を与えるものであり，「ローカルマネジメント法人」の創設を提案し，202年5月に設置された「デジタル・アーキテクチャ・デザイン・センター」(DADC) の取り組みを紹介する（西山 2021）。

最後に第9章では，全体の総括であり，社会，ビジネス，産業，会社のあり方が転換し始めている中で，いかに対応策すべきか整理する。レイヤー構造を整理し，そのレイヤーが重なり合って臨界点を超える状況であり，IX時代の白地図を理解し，本棚にない本を探すことの重要性を提言している。「野球からサッカーへ」という表現で喩え，IX世代に必要な発想を身につけているか，発想テストが提示される。その要諦は，

(a) 課題から考える，解決策に囚われない。

(b) 抽象化する，具体に囚われない。

(c) パターンを探す，ルールや分野に囚われない。

あなたがDXに取り組む経営者であると仮定すると，幅広い話題の全体像

**データを入手し，保存し，加工し，価値やソリューションに対応させるための設計。

をどのようにとらえ，どのような手順で考えるか，自分の立ち位置を確認し，道筋を判断する地図を描けるか否か，が問われることになる（西山 2021a；2021b）。

デジタル化の影響力は，産業構造全体を大きく変容させることであり，それがインダスリアル・トランスフォーメーション（IX：Industrial Transformation）である。DX で変革を進めて競争力を取り戻そうとする理論と，企業そのものを改造して破壊的イノベーションの時代を勝ち抜く組織能力，経営能力を身につけるコーポレート・トランスフォーメーション（CX：Corporate Transformation）や「両利きの経営」の間をつなぐ，「知の架け橋」が IX 実相論となる。

DX → IX → CX　その先に社会変容（SX：Social Transformation），個人の生き方変容（LX：Life Transformation）が不可避的に起きる。

DX を実現するためには，企業風土を抜本的に変える必要がある。昭和以来のカイシャのタテ割り行動様式，論理を乗り越える改革ができて，はじめて DX が達成する。デジタル技術やシステムの変化を理解せずに経営論や組織風土論を語っても意味がなく，双方向性と 2 つをいかに統合するかに DX の本質がある。

「デジタル化から経営へ，経営からデジタル化へ」「具体から抽象へ，抽象から具体へ」と往復を繰り返すことが，IX 時代に求められる思考態度であり，行動様式である。

『DX の思考法』に対する私見

今世紀に入り，日本の経済は世界の中での位置づけが劣化しているように思われる。いかに現状を脱却できるか，日本を変革できるか，が究極の問いである。

本書は，DX の思考法とあるように，DX のすすめ方だけでなく，個人，組織，社会が目指すべき思考方法を提示している。本書によれば，企業も個人も，課題発見，抽象化，パターン化を越境しながら考え行動することが，外部環境を正確に理解することが重要であるといえる。

各社が自前で独自システムを作り，その一部を共有化する発想では効率が悪い。産業，社会の中に共通のレイヤー構造を提供する仕組みを用意して，それを基本に各社は必要なもの，価値あるものだけをつくる発想に変わるべきであろう。

DX 化は単なる既存の業務の置き換えではない。構造の捉え方を変える必要があり，そのキーワードがレイヤー，アーキテクチャなどの概念であろう。

デジタル化時代において「ミルフィーユ」「白地図」「本屋にない本を探す」「白地図に自らを書き込む」「地図を書き換える」など独自の比喩が効いている。西山氏は元官僚であるが，学者，デザイナーであると同時に思想家，アーティストでもある。

13. 長尾真『教授退官記念誌』：科学技術の発展とビジネスの融合

長尾真氏（1936-2021）は京都大学名誉教授，同総長（1997-2003），情報工学の第一線で活躍，民間から初となる国立国会図書館長を歴任した。長尾氏に指導を受けたのが，金出武雄，辻井潤一，松山隆司，松本裕治，佐藤理史，黒橋禎夫，中村裕一 ほかの諸先生方である。福永泰氏（大学院修士課程修了）も長尾氏に指導を受けている。

本節は，最終講義「人間的情報処理を目ざして」（1997）から要点を紹介する。主な章は以下の通りである。

1. パターン認識について　2. 機械翻訳について　3. 電子図書館について　4. 随想

(1)　パターン認識について

長尾先生は，1960 年から坂井利之先生の研究室助手となり，文字認識の研究をはじめた。1965 年頃には多くの企業で文字認識装置の研究開発が行われるようになったため，この分野からは卒業し，濃淡画像の解析の研究をすることにした。輪郭線画像が作れるようになると，次に人の顔の認識に向かった。

スリット法という独自の方法を考察した。スリットを画像の様々なところにあてがうことにより，画像の全体構造を調べるシステムを考察した。これを人の顔の認証に利用した。当時，坂井研究室の博士後期の学生であった金出武雄氏とともに本格的な顔の認証の研究を行った（長尾 1998）。

(2)　機械翻訳について

チンパンジーや他の動物における言語やコミュニケーションが進み，動物も豊かな感情をもち言葉といってもよいコミュニケーション手段をもっていることは事実である。しかし，多くの概念（語）を組み合わせて考えていることを表現する能力に人間とチンパンジーとの間には明確な一線があると思われる。それは文を文中に埋め込んで作られる複文の生成能力の有無に関わるのではないかと思う。複文を発話する能力をもつためには学習メカニズムの中にある種の抽象化能力をもち，1つの分を1つの概念的なものに縮約してこれをあたかも1つの概念・シンボルとして自由に別の文の作成の中で用いることができる能力が必要であることを推測させる。

文脈情報処理に研究成果があがり，新しい考え方による文脈的にわかりやすい文章生成の研究も行われている。これらの研究成果を統合することによって，従来と異なる言語理解をしたといえる機械翻訳システムを作ることができる。これからのネットワーク時代には，日本語，英語だけでなく少なくとも10か国の機械翻訳によって自由に情報交換ができる時代になる。頑張って国として研究開発をやるべきである。もう1つ大切なことは人間とコンピュータとの対話システムを作ることである（長尾 1998）。

(3)　電子図書館について

これまでの図書館情報を電子化して利用に供していく努力はもちろん必要であるが，最も大切なことは電子ネットワーク上に存在し，また日々作られ発信される膨大な情報から，本当に大切で残すべきものを選別して電子図書館に体系的に集積してゆく仕事であろう。人類の築きあげてきた知識を利用して新しい知識を創造するためには，過去の知識と知識の体系を保存しつつも，それらを完全に分解し素材化して利用者が自分の立場で必要な素材を集めて新しいものを構築していくことになる。これに対して図書館は積極的な支援をできる必要がある。ハイパーテキストという考え方はそのための１つの手段であるといえよう。電子図書館におけるもう１つの大切な概念は電子読書機能である。電子図書館になると取り出した情報は電子端末で読むことになる。この電子端末の機能が読者にとって重要であり，これが不便なら電子図書館は利用されなくなる。また電子図書館はネットワーク上の全世界の電子図書館が結合され，これらが自由に利用できる必要がある。通常の書誌事項の検索では内容を推測することは困難である。したがって書誌事項に章，節，項などのタイトルを木構造の形でまとめたものを付加して検索の対象とした。

OCR が普及している今日，目次部分を OCR で読み込み書誌情報と合体させることは容易である（長尾 1998)。

なお，随想については，第Ⅱ部で言及するため，ここでは省略する。

14. 金出武雄『独創はひらめかない「素人発想，玄人実行」の法則』：発想と物語

金出武雄氏（1945-）は，コンピュータビジョン，ロボット工学を専門とする計算機科学者である。顔写真解析や動画像の特徴点追跡手法，３次元画像復元の折り紙理論を構築し，仮想化現実を提唱し，アメリカ大陸横断自動走行車も実現した。金出氏はコンピュータビジョン，マルチメディア，そしてロボット工学において先駆的研究に取り組んでいる人物である。主な研究成果には，1981 年に発表された MPEG など動画像処理におけるもっとも基本的なアルゴリズムである Lucas-Kanade 法や，1995 年に最初にアメリカ大陸を横断した自動運転車「Navlab 5」，2001 年の NFL スーパーボウルで採用された 30 台以上のロボットカメラで 270 度の視野の映像を撮影する「Eye Vision」システムなどがある（金出 2012，境 2021b；2021c)。

京都大学工学博士，2019 年文化功労者，京都大学助手，助教授，カーネ

ギーメロン大学高等研究員，教授，ワイタカー記念教授，ワイタカー記念全学教授，ロボティクス研究所・所長，生活の質工学センター・センター長を歴任した。産業技術総合研究所ではデジタルヒューマン研究センター長を務め，2015年より名誉フェローである。翌2016年には理化学研究所 革新知能統合研究センター 特別顧問に就任し，同年，京都賞（先端技術部門）を受賞した。2020年には学士院会員に選出されている（第2部第5分科）。

自らの経験をまとめた金出氏の『独創はひらめかない』は業界を問わず，様々な場面で示唆を与えている。なお，『独創はひらめかない』の詳細は第Ⅱ部で紹介する。

15. 吉野彰『特別授業　ロウソクの科学』：面白さの発見と科学の社会貢献

『ロウソクの科学』の著者，マイケル・ファラデー（Michael Faraday）は19世紀を代表する化学者・物理学者である。最先端の研究を生涯続けただけでなく，科学を一般の人たち，特に子どもたちに広く理解してもらうことに尽力した人物でもある。『ロウソクの科学』は，ファラデーが科学のおもしろさを知ってもらうために行った，クリスマス・レクチャーをまとめた講演録である。子ども向けたものだったため，難しい言葉は使わず，ロウソクの燃焼から始めて様々な実験を見せながら，自然科学の基礎の基礎を解説する（吉野 2020）。

リチウムイオン電池開発でノーベル化学賞を受賞した吉野彰氏が『ロウソクの科学』に出合ったのは，小学校4年生の時である。「子どもに対して科学のおもしろさを伝えようとしたファラデーの思惑は，私に対しては見事に成功したわけだ」と本書『読書の学校』で語っている。本書は，吉野氏が東京工業大学附属科学技術高校で行った特別授業をまとめたものであり，『ロウソクの科学』のどこに惹かれたのか，そこから何を学んだのか，またそこに書かれた科学的思考とはどのようなものだったかを明らかにしている（吉野 2020，境 2021b；2021c）。

本書主要な目次を確認すると，第1講『ロウソクの科学』の魅力　第2講　現代版「ロウソクの科学」～科学的思考法とはどのようなものか　第3講 世界を変える発明～リチウムイオン電池開発から考える　第4講 未来の発明のために　計4章から構成されている。

16. 畑村洋太郎『失敗学のすすめ』：失敗の構造化と可視化，真の課題解決

失敗学の提唱で知られる畑村洋太郎氏（東京大学名誉教授）は2002年の失敗学会の設立にも携わり，創造的設計論，知能化加工学，ナノ・マイクロ加工学を研究した。ものづくりの領域に留まらず，経営分野における「失敗学」などにも研究領域を広げている。畑村氏は，失敗表現の構造化の必要性を説き，失敗出来の脈絡と構造化を図り，それを可視化することを試みた。ここにとりあげた『失敗学のすすめ』以外にも関連する書籍に，『決定学の法則』『失敗学実践講義　文庫増補版』『図解　使える失敗学』など多数あげられる（畑村 2005a；2007；2010；2014；2022）。彼はものづくりに限らず，常に失敗リスクを想定すべきリーダーの責任についても言及している。また彼を継承する濱口哲也氏は失敗学の思考法を論じている（濱口 2009）。ここでは失敗学会における畑村氏の記述を中心に整理したい（畑村 2005b）。

失敗構成要素を「ピラミッド図」「分岐図」ではなく，「胞子図」にすることによって全要素とその階層性を示すことができる（畑村 2005b）。

「まんだら図」には，「原因まんだら」，「行動まんだら」，「結果まんだら」の3種類がある。中心部が全体を取りまとめている最上位の概念で，その次の円環を第1レベルと呼ぶことにする。原因，行動，結果いずれでも，このレベルは10個程度のキーフレーズに分類するのが理解しやすいようである。さらにその外側に配置される要因を第2レベルと呼び，20-30個くらいのキーフレーズとする。本データベースの分類では，さらにその外側に個々の分野や事例に必要になる要因を配置することにした。それを第3レベルと呼ぶ。第1レベルおよび第2レベルについては，どの分野にも共通するような概念でくくる

ように努力しているが，第3レベルについては分野ごとで別々の表現を使うことを許している。

個人に起因する「不注意」等から組織の問題としての「企画や運営の不良」さらに社会的な「環境変化」等の原因の流れも見いだせる。すなわち，「個人→組織→社会」に関連する原因というように，その対象範囲を拡大しながら考えるプロセスもある。原因要素の検討過程では，具体化と抽象化の間，あるいは個人と社会との間を思考が行きつ戻りつしながらも，総体的には個人的・具体的な要素から始まって組織的・社会的要素を経て抽象化した上位概念に上がってゆくものと考えられる。失敗情報を伝えたい人は，失敗情報の具体的内容を思考のスパイラルアップを通して抽象的な「原因・行動・結果の上位概念(失敗シナリオ)」に高めて知識化することにより，初めて失敗知識として伝達が可能となる。そして同図の右に示すように，失敗情報を知りたい人は，その失敗知識を得て抽象的上位概念の失敗シナリオから失敗情報の具体的内容に降りてゆくスパイラルダウンの思考を通して失敗情報を理解することが可能となる。

「失敗まんだら」の上を順次旋回しながら中心部に向かって上がっていくという考え方は，初めは機械分野での原因についてだけあてはまるものと考えていた。しかし失敗知識データベース構築の議論の中で次第にどのような分野にも，また原因・行動・結果のいずれについても当てはまるものと考えるようになった。そこで，失敗知識データベースの構築もこの考え方をふまえたものとした。

(a) 原因のまんだら

第1レベルのキーフレーズは10個，第2レベルは27個あり，現在データベースに収録されている機械・材料・化学・建設の4分野のいずれにも共通して当てはまるものである。

原因の第1レベルについて見ると，まず誰の責任でもないものとして「未知」が挙げられる。次いで個人に起因するものとして「無知」・「不注意」・「手順の不遵守」・「誤判断」・「調査・検討の不足」の5つがある。また個人・組織のいずれの責任にもできない原因として「環境変化への対応不良」があり，組織に起因するものとして「企画不良」・「価値観不良」・「組織運営不良」の3つがある。

(b) 行動のまんだら

失敗行動の分類の項目は，第1レベルのキーフレーズは10個，第2レベルは24個あり，データベース作りをやっている機械・材料・化学・建設の4分野のいずれにも共通して当てはまるものである。

第1レベルで考えると人が物に対して行う行動が失敗行動であるものと，物を対象とせずに人の動作（行動・行為）そのものが失敗行動であるものと2つに分けられ，物への行動には「計画や設計の行動で失敗になる行動をとるもの」・「製作での行動で失敗行動となるもの」・「使用での行動で失敗行動となるもの」の3つがある。また，人そのものの行動が問題になるものとしては，「定常操作」・「非定常操作」・「定常動作」・「非定常動作」・「誤対応行為」・「不良行為」・「非定常行為」の7つがある。

それぞれの第1レベルに属する第2レベルのうち，物への行動は以下のようになる。これらは，物づくりを計画してから製作（製造），使用，廃棄するまでの一連のプロセスで人がとる行動を表している。

(c) 結果のまんだら

第1レベルのキーフレーズは10個，第2レベルは29個あり，データベース作りをやっている機械・材料・化学・建設の4分野のいずれにも共通して当てはまるものである。第1レベルには，まずものへの結果として「機能不全」・「不良現象」・「破損」の3つがある。次に外部への影響を伴う結果として「二次災害」がある。また人への結果として「身体的被害」と「精神的被害」の2つがある。組織・社会への結果として「組織の損失」・「社会の被害」の2つがある。今後必ず起こる結果としての「未来への被害」がある。最後に，起こるかもしれない結果としての「起こりうる被害」がある。

畑村氏は実際に事故や失敗の現場に出かけ，当事者との対話の中で分析がなされている。畑村氏は実践のためには，現地・現物・現人の三現が重要であることを指摘している。その上で9つの産業分野（自動車，飛行機，鉄道，ロケット，原子力，建物，金融，産業一般など）の失敗事例を取りあげている（畑村 2010；2022)。最近では，荒木博行氏の『世界　失敗製品図鑑』に公開情報に基づいた20事例が掲載されている（荒木 2021)。

ここではこのうち5社の事例をとりあげ，失敗要因の抽出と示唆を総括する。

①ファーストリテイリング：　スキップ／顧客起点の欠如

アパレルブランドの雄，ユニクロを有するファーストリテイリングが野菜事業へ参入した。農産物は，生産から流通，販売までの工程に無駄が多いために価格が高い。この業界にユニクロで培った生産から販売までを一貫するオペレーションを導入することを目指した。この事業の提案者は柚木治氏である。2002年9月，食品事業スキップ（SKIP）を専業とするエフアール・フーズが設立され，事業提案者であった柚木氏が社長に就任した。

しかし，こだわりの農法を採用した結果，契約農家の拡大が図れず，野菜の収穫不安定とあいまって，店頭では円滑な品物管理ができず，野菜の欠品状況が頻発して，顧客起点の欠如から徐々に顧客が離れていった。2004年6月，スキップは解散した。

②任天堂：　Wii U／理想追求による協力者の離反

2011年6月，任天堂は新しいゲーム機Wii U（ウィー・ユー）を公表した。その特徴は，液晶画面を搭載した専用コントローラーにあり，テレビとゲームパッドの画面を同時に活用して，今までにない身体的な動きを伴うゲーム体験を実現しようとした。当時の任天堂は，2006年に発売された第1世代のWiiが家庭用ゲーム機で久々の大ヒット商品となったものの，次第に売上が減速する苦境に立っていた。この打開策がWii Uであった。

しかし，ゲームを取り巻く環境は大きく変化し，スマートフォン上で展開されるソーシャルゲームが台頭して，ゲーム専用機の販売に対する影響が懸念された。また，任天堂のハード戦略がハードとソフトの循環構造を基礎とした顧客囲い込みであったところ，Wii Uは初期段階でサードパーティーであるソフトメーカーを巻き込めず，遊べるソフトが少ない機種として顧客の支持をえられなかった。

③ソニー：　AIBO ／経営層の事業尺度との不適合

1999年に発売されたAIBOは画期的なロボットであったが，短期的な収益を期待するのは難しい商品であった。AIBO事業は芽が出始める前に，経営層は生産中止の意思決定を行った。2000年初頭のソニーには，判断の尺度に余裕がなく，短期的な収益という事業尺度，評価尺度しか持てず，2006年に生産終了となった。

しかし，ソニーは2018年度に20年ぶりの営業最高益を出し，AIBOは新たに「aibo」としてバージョンアップしたロボットとなって再度登場することになった。その背景には，家庭用ロボット需要の上昇と「復活するソニー」「遊び心」「ユニークさの追求」のシンボルの必要性であった。企業内の新規事業は，対市場における事業価値とともに，対経営層の事業価値も重要である。AIBOは対経営層という側面で，その尺度に整合しなかった事業の代表例である。

④セブン-イレブン・ジャパン：　セブンペイ／内製化の死角

2019年9月，セブン＆アイ・ホールディングスは，ファミペイなど他の多くのサービスが導入に成功しているなか，セブンペイを廃止した。その失敗要因のひとつに内製化があるといわれる。セブンイレブンは当時からATMはコンビニエンスストアの主要な業務の一環と位置付け，セブン銀行を設立し，内製化による手数料収入を見込んでいた。さらにネット通販に対抗して，インターネットショッピングモール「オムニ7」を立ち上げる。ただ，セブン銀行の構築が金融システムの特殊性と開発コストの高額化もあったため，オムニ7は社内開発ですすめた。結果として，セブン銀行は成功したものの，オムニ7は想定通りにはいかなかった。

⑤みずほ銀行：　システム障害／リスク・専門性の軽視，実務人材の不足

みずほ銀行は1999年に第一勧業，富士，日本興業の旧3行が経営統合して2002年に始業した。しかし，当初から情報システムのトラブルを経験し，

2002 年，2011 年，2021 年と 3 回の大規模システム障害とシステム刷新プロジェクトの度重なる遅延が発生した。

物理的な原因としては，旧 3 行のシステムを温存したまま統合した勘定系システム MINORI の複雑さにある。しかし，最大の失敗原因は経営陣の情報システムに対する理解不足により，無理なスケジュールでシステム統合を強行したことである。

東日本大震災の発生した 2011 年に公開された，システム障害に関する調査報告書によれば，障害の原因として，「人材の計画育成および適所配置」の不備，特に「システムの全体像が把握できる実務人材の不足」，「人材育成の不足」があげられた。システムに関するリスクや専門性の軽視はもとより，現場実態の把握不足，顧客影響への感度欠如なども重大な失敗原因である。ただし，この状況は多くの日本企業にも共通する課題といえる。

以上の失敗事例から得られる示唆がいくつかある。顧客起点の欠如に始まり，不可避な失敗要因，例えば国の経済危機，会社の急な経営判断変更，ICT の進化等があげられる。要は，失敗してもそこから学びを得て次に活かすことが重要である。失敗を認めない，新規事業を始められない組織文化となることは危険である。対策としては，会社の中に遊び，揺らぎをつくることによる組織硬直化の防止，失敗を語れる組織文化の創造，そして予測困難な未来に向けて，課題解決の多様な選択肢・打ち手を準備することであろう。その際には，物事の本質を見極めた上で，公式を組み合わせて課題を解く演繹法，課題から解くための公式を導く帰納法のいずれも用いて対応する必要がある。

第Ⅱ部

発想法

【理論編】

1. 個人の発想の重要性

AI が人間の仕事の 9 割を置きかえてしまう時代になってしまったらどうなるか分からないが，現状目の前の仕事や課題に対しては，誰かが対応しなければならない。対応するには何らかの対策を考えなければならない。限られた時間や人数の中で，ベストとは言えなくても正解のない問いに対して一定の解を出し続けること，それが仕事の一面である。

直近の目の前のことだけでなく，会社をどう発展させるべきか，トップやエグゼクティブは経営戦略を考えなければならない。事業部門を率いるのであれば，既存の事業をどのように発展させるのか，そのための新製品はいつまでに開発すべきか，など考えるべき課題はやはり多い。

経営戦略や事業戦略を考えるうえで，資金や設備といった有形資産だけでなく，組織成員が生み出す知識という無形資産に着目したのが，野中郁次郎である。野中は，アメリカで竹内弘高と著した『知識創造企業』の中で，組織的知識創造プロセスとしての SECI モデルを提唱した。SECI モデルとは，組織内の個人が得た暗黙知としての知識が，1）共同化（Socialization），2）表出化（Externalization），3）結合化（Combination），4）内面化（Internalization）といった 4 つのプロセスを経ることにより，組織レベルで共有可能な形式知へと変換されるとしている（SECI とは，これら 4 つのプロセスの頭文字をつなげたものである）（野中ほか 1995）。

1980 年代の日本企業の強みがどこにあるのか，その源泉は組織成員個人の生み出す知識であり，生み出された知識が組織レベルの強みに変換されていく，という野中の組織的知識創造理論は大きな反響を呼び，ナレッジ・マネジメントという日本発の経営理論としても知られるようになった。

千里の道も一歩から。ちょっとしたひらめきやアイデアが，組織や会社にとって大きな資産となる可能性がある。社員一人ひとりがどんどん発想やアイデアを出していくことが重要であることが改めて認識されたのである。

図表Ⅱ－1　組織的知識創造における SECI モデル

集団	（暗黙知）→	（形式知）	集団
（暗黙知）	共同化 （Socialization）	表出化 （Exterminalization）	（形式知） ↓
↑ （暗黙知）	内面化 （Internalization）	連結化 （Combination）	（形式知）
個人	（暗黙知）	←（形式知）	集団

（出所）野中・竹中ほか『知的創造企業』93 頁，106 頁の図をもとに独自に作成。

2.　多様な発想法

「個人のひらめきやアイデアが重要です。それではみなさん，今からどんどん考え発想を生み出していきましょう。」新しいビジネスのアイデアやヒントが必要な時に必要なだけひらめくことが可能ならば，こんなに楽しいことはないだろう。よくミュージシャンが名曲を書いたときに「インスピレーションが降りてきた」などと表現されることがある。ポール・マッカートニー（Sir James Paul McCartney）は，「イエスタデイ」のメロディを夢の中で思いつき，朝起きてそれを書き取ったという。

しかしふつうの人々には，そんなに素晴らしいアイデアなどが降ってわいてくることはなかなかない。ならば，なんとかしてアイデアなどをひねり出そうとしなければならない。これがいわゆる「思考法」「発想法」であるが，悩みは万人に共通するものなのか，古今東西様々な思考法，発想法が提唱されている（三谷 2012）。

ここでは，推論の方法，情報収集と調査，比喩と類比など，発想法に取りかかる際に知っておきたいことをまず紹介したい。続いて提唱されている様々な発想法を順に紹介していきたい。筆者は発想と論理という２軸を組み合わせ，発想法を次のように分類した。

・発想展開型　・論理分類型　・発想論理融合型

もちろん，両方にまたがる発想法も数多くあるので，この分類はあくまで便宜的なものであることをご了承いただきたい。

(1)　発想に取りかかる際に知っておきたいこと

(a)　論理的推論の方法

思考を論理的に進めるには，論理学の知識を用いるのも有益である。

論理学では，１つの判断を言葉で表したものを命題という。命題は，真であるか偽であるかが確定できるものでなければならない。「○○になってほしい」といった，希望・願望のような確定していないことを命題にすることはできない。

命題は，「ＰならばＱである」（Ｐ⇒Ｑ）という形式で表現する。この場合のＰは前提，Ｑは結論である。命題は，ベン図を使って表すことができる。ベン図は数学の授業でも学ぶ，集合と集合の関係を図で表したものである。

いくつかの既知の前提から新しい結論を導き出すことを倫理学では推論という。推論には，演繹的推論，帰納的推論，仮説的推論の３種類がある。

図表Ⅱ－2　ベン図の例（P⇒Q）

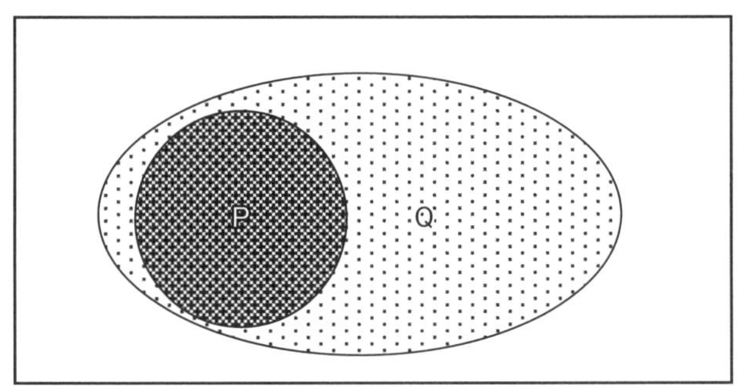

（出所）独自に作成。

演繹的推論（deduction）とは，一般的な法則を個別の事例に適用して，個別の結論を導き出すことである。演繹的推論では，アリストテレス（Aristotle）が確立した三段論法を用いる。三段論法とは，大前提と小前提から結論を導く方法である。

（大前提）全ての人は死ぬ。
（小前提）ソクラテスは人である。
（結論）　ソクラテスは死ぬ。

この場合は，人は死ぬという大前提を，ソクラテス（Socrates）という個別の事例に適用して結論を導いたものである。

帰納的推論（induction）とは，いくつかの個別の事例から，一般的な法則を導き出すものである。帰納的推論は，現在分かっている一定数の事例やデータをもとに，他のデータにもそれが適用できるのではないかと結論を得ようとする。そのため推論を否定するようなデータが見つかる可能性もあり，結論には絶対的な正しさを保証することができない。しかし一定の法則や概念を見出そうとする人類の知や学習，多様性への対応においては重要な方法である。

仮説的推論（abduction）とは，前提と結論が分かっていて，その事実をうまく説明するために，前提（基本原理）から結論（個別事例）を導く推論自体（仮説）を導く方法である。仮説的推論も帰納的推論と同様，必ずしも推論の正しさを保証するものではないが，それまでなかった発見や法則を見出すことにつながるので，重要な方法である。

野中は，コンセプトを創り出すために頻繁に使われるのは演繹法と帰納法の組み合わせだとしている。例えば，マツダがRX-7を開発するときに創ったコンセプト「エキサイティングかつ快適なドライブを提供する本格的スポーツカー」は，「新しい価値を創造し，楽しいドライブの喜びを提供する」という経営理念と，アメリカ市場を意識したイノベーションのイメージを持つ戦略車，という位置づけから「演繹的」に導くと同時に，プロジェクト・メンバーのアメリカ旅行での走行体験という「コンセプト・トリップ」と対象顧客と自動車評論家などからの「コンセプト・クリニック」から「帰納的」に導いたもの，だと紹介している。

帰納的推論や仮説的推論が有効になるのは，経験により直観が磨かれている場合である。現場で様々なトレーニングを積み，現れた事象をつぶさに観察し変化や違いを捉えられるようになることで，推論の確度を上げることができるのである（齋藤 2010）。

(b) 比喩と類比

比喩とは修辞術（レトリック）の一種で，ものとものとの類似性をことばによって考えることである。「○○のような」という形で直接たとえること（直喩）もできるが，日常生活や文学では明喩以外にも，次のような形でよく使われ，連想を広げるのにも活用できる。

①提喩（シネクドキ）：部分によって全体を，あるいは全体によって部分を代用する。例えば，「ご飯」は狭義では主食として出される炊いた米の意味であるが（部分），食事という意味でも使える（全体）。
②換喩（メトニミー）：ものとものとの意味づけや関係性の近さに基づいて，たとえる表現である。例えば，風呂を沸かす（風呂の水），会場を沸かす（会場にいる客）と，直接「沸く」対象でないものの「温度を上げる，興奮させる」意味で使う。
③隠喩（メタファー）：ものを見立てて表現することである。例えば，「カミソリ」（頭が切れる人），「雀の涙」（量がわずかな意味）などである。

外山滋比古は，ベストセラーとなった著書『知的創造のヒント』の中で，一般に比喩からその人間の心の中にある原型的世界をつきとめることができるとし，ゴルフ好きの人はゴルフの比喩をよく使うこと，シェイクスピアの作品の中で好ましくない人間の比喩として犬が使われているのは，シェイクスピアの幼児期の経験による犬への偏見が影響していることについての研究や，20世紀初期の西欧の文学者が化学用語をよく用いていたこと，などを例に挙げている。また，比喩が個人の生活を浮かび上がらせることができるのならば，比喩表現からその時代の背景や世相を捉えることもできるのではないか，としている（外山 1977）。

換喩のようなアナロジー（類比）を用いて，ものとものとの意味づけや関係の類似性を発想につなげることもできる。例えば，「何かになった」つもりでその考え方や行動をシミュレートすることができる。高齢者が必要としている製品のヒントを得るために，ゴーグルなどを装着して高齢者の視界や身体の動きの制約を試してみるのもその１つである。

野中は，組織的知識創造理論の中の「表出化」プロセスにおいては，メタファーやアナロジーを使うことで，思考を刺激し創造プロセスへのコミットメントを引き起こすのに非常に効果的であるとしている。その例として，キヤノンのミニコピア開発の際の最大の難関であった，使い捨てカートリッジの例を紹介している。法人向けの複写機と異なりパーソナル複写機ではメンテナンス・コストを抑えるためにも，不具合がもっとも起こりやすい複写機の心臓部であるドラムを使い捨てカートリッジにするというコンセプトを創出した。しかし，使い捨てカートリッジのコストをどのように引き下げるかが問題となった。タスクフォースのリーダーは議論の後缶ビールを飲み，安価なビール缶がカートリッジのシリンダーと同じアルミで作られていることに気がついた。そこで，アルミシリンダーとビール缶を比較し，類似点と相違点を明らかにすることで，低コストのアルミシリンダー製造プロセスを開発することができたのである（野中ほか 1995）。

(c) 情報収集と整理

何もないところから物事を考えアイデアをひねり出すのはなかなか難しい。ましてや，事業や企業経営における具体的な課題について考える場合は，その考えの土台となる情報に誤りがあったり主観性が強かったりすると，そもそもの考えがさらに誤った方向に流れてしまう。

収集する情報は，一次情報と二次情報とに大別される。

①一次情報：実験，観察，アンケート，インタビュー，取材など，情報収集しようとする者が何らかの方法で直接収集した情報。

②二次情報：新聞・雑誌や図書，論文など，他者がまとめ考えた情報。

情報の入手先（情報源）や求められる品質については，目的によって異なる。学術論文や報道などでは，ねつ造と取られかねないような情報源は厳密に排除しなくてはならないが，ブレインストーミングやKJ法（いずれも後述）で出されるアイデアについては，情報としての裏付けの乏しい個人的な感想や主観的な意見でもあまり支障はない。

情報収集に関する調査には，一定の時間的金額的コストが生じる。目的や厳密さに応じて，可能な限りでの情報収集を手がけるのが望ましい。収集した情報は膨大なものになるため，昔から多くの整理法が提唱されてきた。

梅棹忠夫は，野外調査の経験から，カードによる情報記録と，キャビネットに収納する垂直式ファイリング法による整理を『知的生産の技術』で提唱した。野外調査では野帳（フィールドノート）に記入していくが，調査が長期間になると日を追って書かれた記録を検索するのが困難となる。そこで，調査時からカードを携帯し，見出しと文章（豆論文）で記録する。そして，カードは分類を目的にするのではなく，組みかえ作業ができるように保存しておくのである（梅棹 1969）。

野口悠紀雄は，大量に発生する書類を項目立てて分類するのではなく，時間軸により管理する「超整理法」を提唱した。時間軸による保存方法は，ランダムアクセスに比べると検索時間はかかるが，不要となるかどうかの判断や間違えて分類し収納・保存してしまうリスクが他の整理法よりも優位であるとしている（野口 1995）。

(2)　発想展開型

(a) ブレインストーミング

ブレインストーミング（BS法）は，アレックス・オズボーン（Alex F. Osborn 1888-1966）が創造的思考の原理および手順として考案したものである（Osborn 1942；1952）。

ブレインストーミングは従来の会議と違い，少人数で1時間ほどの時間の中で，特定のテーマについてできるだけ発想を広げる手法である。ブレインストーミングの原則は，次の4つである。

①批判は厳禁：提案されたアイデアや意見に対しては良し悪しを判断せず，批判は最後まで行わない
②自由な発言を歓迎：メンバーが提案する発言は自由奔放なものほど良い
③質より量を優先：良いアイデアが生まれる可能性を高めるため，できるだけ多くのアイデアを出す
④アイデアへの便乗：良いと思われる意見やアイデアが出たらそれにさらにアイデアを付け加えることも考えてみる

外山滋比古は，①と④について，ただ水をかけるような言葉を吐かないだけでなく感心したり，はげましたりするようになれば，いっそうクリエイティブになるのではなかろうか，と指摘している（外山 1977）。通常の会議では否定による萎縮や自由な意見が出ない雰囲気が起こりやすいが，ブレインストーミングの場合は4つの原則により，こうした通常の会議とは全くことなる雰囲気からアイデアを創出できるのが利点である。

もちろん，ブレインストーミングはアイデア創出の場なので，出されたアイデアを具体化しようとするときは，別途検証して集約する必要がある。

本田技研工業では，創業者の本田宗一郎が始めたと言われる「ワイガヤ」という企業文化がある。顔の見える人数で膝を突き合せて，立場などにとらわれずワイワイガヤガヤと意見をぶつけ合う場である。ワイガヤは必ずしも会議だけを指すわけではないので，ブレインストーミングとは若干異なる側面もあるが，他社にないユニークな自動車の開発や，個人向けジェット機の開発など，本田技研工業の強みを支えてきた企業文化である（ロスフィーダー 2016；小林 2012）。

(b) アイデアのつくり方

『アイデアのつくり方』は，ジェームス・ヤング（James W. Young）が長年の広告業界での経験をもとに行った学生向けの講演などをもとにまとめられた小著であるが，アイデアの発想法とその技術について簡潔に提示しており，世界各国の広告関係者に多大な影響を与えた（ヤング 1988）。

ヤングは，アイデアを生み出すのはどこからか探し出してくるものではな

く，すでに知られている要素の組み合わせから生み出されるものであるとし，その製造過程も車の製造過程と同じように流れ作業であるので，その操作技術を修練することが秘訣であるとした。そしてアイデアの製造過程について，次の5つの段階として提示した。

①資料集め：当面の課題のための資料と，一般的知識の貯蔵をたえず豊富にすることから生まれる資料
②心の中でこれらの資料に手を加えること
③孵化段階：意識の外で何かが自分で組み合わせの仕事をやるのにまかせる段階
④アイデアの実際上の誕生：ユーレカ！　分かった！　みつけた！　という段階
⑤現実の有用性に合致させるために最終的にアイデアを具体化し，展開させる段階

(c) マインドマップ

マインドマップは，トニー・ブザン（Anthony Peter "Tony" Buzan 1942-2019）が約40年前に考案したあらゆる思考過程をまとめるためのツールである。ブザンは，人間の脳における思考過程が，1）受容，2）保持，3）分析，4）アウトプット，5）制御，の機能を持ちゲシュタルト（全体性）を求めて思考を完成させようとすること，また脳は神経ネットワークを活用し，連想を枝状に次々と連結して放射する素晴らしい能力があるのに，一般の人々がつまらないノート作りなどで脳の持つ思考機能を眠らせてしまうことに気がついた。そこでブザンは，脳のもつ思考能力を有効に活用するため，脳の放射思考や有機的な働きを再現するような形で視覚化し集約するためのツールとして，マインドマップを考案したのである（ブザン・ブザン 2013)。

マインドマップは，次の要素で構成されている。

①セントラル・イメージ
②ブランチ（メイン・ブランチ，サブ・ブランチ），

③ミニ・マインドマップ

マインドマップを描くのにあたっては，まず大きめの横長の白紙を用意する。紙の中央に，考えたいテーマやトピックから思い浮かべるイメージを，色とりどりのペンで記入する。これがセントラル・イメージである。そして，セントラル・イメージから一本の太い曲線を引き出し，キーワード（またはキーイメージ）を１つ記入する。これがメイン・ブランチである。メイン・ブランチの線は直線ではなく，木の枝のように曲がった有機的な曲線のほうが，ユニークでより記憶しやすく，視覚的なリズム感が生じるという。メイン・ブランチを何本かセントラル・イメージから引き出したり，メイン・ブランチからさらに何本かのサブ・ブランチを引き出したりしながら，重要だと思われる部分に色を塗って強調したり，ブランチとブランチの間に矢印や独自の記号などを付け加えたり，サブ・ブランチのキーワードにミニ・マインドマップを記入していくことで，自分だけのオリジナルのマインドマップを完成させるのである。

マインドマップは，作成途中で連想したキーワードやイメージからさらに新たな連想やイメージが湧きあがってくるのをもとにどんどん描き進めることで，脳を活性化しアイデアをより多く生み出すことができるという。また，一度描いたマインドマップをしばらく寝かせておいて改めて見直した時や，もう一度同じトピックで再構築することで，新たなアイデアがさらに湧き出したり，問題解決の答えが突然浮かぶこともあるという。

マインドマップは，アイデア創出や発想法だけでなく，講義ノートの作成や記憶法，意思決定にも活用できる。例えば講義を受ける時に，通常のノートのように先生や講師が話したことをただ書き並べていくよりも，重要なポイントや連想すべきことなどをよりまとめることができるという。また，作成した講義ノートを用いてマインドマップを見直していけば，色や形など様々な感覚を用いることにより，記憶の保持をより高めることができる。マインドマップを意思決定に用いるには，描かれているキーワードやイメージの中で重要度を採点したり，様々なブランチに記入されたキーワードをさらに別のセントラル・イメージとするマインドマップを作成することで，より多層的な構造となったアイデアやキーワードをもとに検討することが可能になるという。

(d) フィンランド・メソッド

先進国の多くが加盟する OECD（経済協力開発機構）では，経済成長における人材育成と教育への関心の高まりをもとに，2000 年から PISA 調査を実施している。PISA 調査とは，義務教育修了段階の 15 歳の生徒を対象に，課題解決のための知識や技術のリテラシーが読解力・数学的リテラシー・科学的リテラシーの 3 分野において備わっているかを 3 年ごとに実施する調査である。

フィンランドは 2000 年および 2003 年の調査で読解力が加盟国中 1 位となった。2003 年調査で読解力順位が急落した日本ではフィンランドの教育システムに注目が集まった。

北川達夫は，フィンランドでの教育の特長をフィンランド・メソッドとして紹介している（北川 2005）。フィンランド・メソッドの特色は次の通りである。

①発想力，論理力，表現力，批判思考力，コミュニケーション力，を鍛える練習を小学校の授業から多く行う
②「カルタ」を作る集団授業により，発想力や論理力を鍛える
③授業内で「なぜ？」という問いかけを数多く行うことで，原因と結果について理解を深める
④授業内での質問や意見に理由をつけて答えることを学べるようにする
⑤複数の単語から短い文を作成する練習を数多く行うことで，論理力，要約力および語彙運用能力を育てる
⑥カルタやフォーマットに沿った作文授業を行う
⑦数人単位での批評による作文添削授業を行う
⑧討論の授業で，相手の話を遮らず最後まで聞くことを学ぶ
⑨討論のしかたを学ぶ
⑩相手の目を見て話す習慣をつくる

このうち「カルタ」は，1つのテーマを紙の中心に書き，そのテーマに対して「それは何？」「それで何をするの？」「それはどんなもの？」と質問を投げかけ，連想するキーワードをテーマから枝を伸ばすように書き出し，さらにそのキーワードから連想して，と作業を繰り返していくのである。1つのテーマから四方八方に枝が伸びるように連想の幅が広がることで，発想力を伸ばしていける，としている。

フィンランドの教育力の高さは指導法だけでなく，教員の高学歴化や人口密度の違いなども指摘されているが，「カルタ」を用いた授業は日本の小中学校などでも実践されているという。

(e) マンダラート

マンダラートとは，今泉浩晃が考案した思考法のツールである（今泉 1987)。紙に3×3の9マスからなる正方形を用意し，中央にテーマを1つ記入する。そして，中央のテーマから思いついたキーワードを，上下左右の8マスにそれぞれ記入する。

マンダラートは，直線的でなく各方向へ広げることにより，多面的な発想ができるという。また，記入できるのが8マスしかないので，思いついたキー

図表Ⅱ-3　マンダラートのレイアウト（矢印はテーマの発展方向）

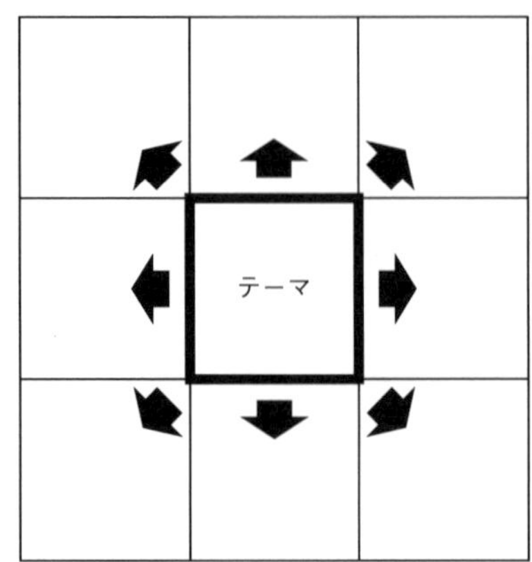

（注）筆者作成。

ワードについて重要度を考慮しながら記入することができるという。アイデアをさらに深く掘り下げるには，上下左右のキーワードの１つを別のマンダラートの中央のマスに記入し，さらに思いついたキーワードを記入する作業を繰り返すことで，思いついたアイデアや考えを階層化することができる。

今泉によれば，人間の脳で思考する際に使えるワーキングメモリは最大８つの情報までであり，マンダラートの記入マスはこれに対応できるものとしている。

(f) アイデアソン

アイデアソンとは，アイデア（Idea）とマラソン（Marathon）を組み合わせた造語である。特定のテーマについていくつかのグループで討議検討し，最終的にまとめるものである。実践的な教育手法として，大学や専門学校で近年取り入れられることが多い。また，情報系教育では，ハッカー（Hacker）とマラソンとを組み合わせたハッカソンという名称で，アイデア創出の代わりに課題解決となるプログラムを構築する場合もある。

会議というと構えてしまうようなグループや環境において，コンテストやイベントとして位置づけることで，より柔軟に発想できるようにする場づくりである。

(3) 論理分類型

(g) KJ 法

KJ 法は，川喜田二郎が考案した，問題解決のための発想法である。KJ 法は，フィールドワークや現場から得られた情報をボトムアップし，一見するとバラバラな情報の断片の「渾沌」をして，問題解決につながることを「語らしめる」のを目的としている（川喜田 1967；1970）。

KJ 法は次のプロセスで進める。

①ラベルづくり

②グループ編成（小グループ，大グループ）

③ A 型図解化
④ B 型叙述化

KJ 法が考案された当初は個々の情報収集にはカードを用いていたが，近年はKJ 法をコンピュータで処理する場合も多い。まず，個々の情報に1行でまとめたラベルをつける。次に，情報を一面に並べてみたところで，ラベルの類似性や関連づけなどを見ながら，カードを寄せていく（小グループ）。寄せたカード群には新たに表札となるラベルをつけ，表札のラベルを見ながら小グループどうしを寄せていく（大グループ）。この過程で個々のカードを見ながら，グループを組み直したり表札をつけ直すこともある。グループ編成の過程では先入観を入れず，できるだけ「データをして語らしめる」ことが重要である。

こうしてグループ編成を経て，個々の情報が1つに集約されたものをもとに，グループ間の空間配置を考慮しながら相互関係を見出し，グループの関係性を1つに図としてまとめる（A 型）。図中のグループに個々の情報を貼り直し，全体と情報との関連性を図示できるようにする。全体に対してキーワードや図（シンボルマーク）で表すと，理解がより共有化されやすくなる。そして，図解化されたグループと情報をもとに，事実の記述と解釈との違いに気をつけながら，文章として総括するのである（B 型）。

KJ 法は初めて触れた人にも直感的に作業ができることや，貼り直せるタイプの付せん紙・ペン・模造紙などがあれば作業に入れることから，研修や教育現場でも多く実践されている。中には，付せん紙を張り直す作業を繰り返すことから，分類・整理法として捉えられている場合もある。しかし，KJ 法の要点はA 型図解化とB 型叙述化のプロセスであり，似たような情報をグルーピングするのが目的ではない。川喜田は，日本語で「まとめる」という語には「同質の要約」と「異質の統合」とがあることを指摘している。個々の情報の中の共通点や差異を見極めてグループを編成し，そして個々の情報の集積した全体から1つに集約することで，はじめて課題や解決策が捉えられるようになるのである。そのため，KJ 法を習得し活用するには，見かけのとっつきやすさに比べてかなりの熟練を要するのである。

(h) なぜなぜ分析

なぜなぜ分析とは，トヨタ自動車工業元副社長でトヨタ生産方式の生みの親と言われる大野耐一が提唱した，問題解決のための手法である。ある問題となる事象が発生したとき，関係者にその事象の発生原因を「なぜ」と問い，得られた発生原因にも「なぜ」を問い，といった要領で自問自答を5回繰り返すことで，表面上の発生原因だけでなく真因（主となる原因）を発見することを目的としている。関係者間相互で真因として合意が形成されれば，その真因に対応する問題の事象への解決すべき対策が立案できるようになっている。

なぜなぜ分析による真因の突きとめと対策立案に向けたポイントは次の5点である。

①解決すべき問題の事象の設定は適切か
②問題の現象に対して網羅的に原因を挙げているか
③原因の深掘りは十分か
④特定した真因は最大規模の原因か
⑤対策の優先順位はどのように決めるのか

なぜなぜ分析を実行すると，原因が分岐し数多く挙げることができる。こうして挙げられた原因が網羅的になっているかは，真因を突きとめるために重要だが，真因の特定につながらないと的外れな対策を講じることとなるので，関係者間で挙げられた原因に偏りがないか，また見落としている原因はないかどうか，見極める必要がある（大野 1978）。

なお，なぜなぜを五回繰り返しアイデアの完成度を上げるのは，日立製作所の落穂拾いに起源があるとされる（馬場 1966；1981）。トヨタ自動車はこれをカンバン方式として完成させたのである（境 2021a）。

(i) SWOT分析

SWOT分析とは，発祥については諸説あるが，アメリカ発の経営戦略策定のためのツールとして日本でも広く知られている。組織やプロジェクトを取り巻く状況について，環境（内部・外部）および要因（プラス・マイナス）を挙

図表Ⅱ-4　SWOT分析の概念

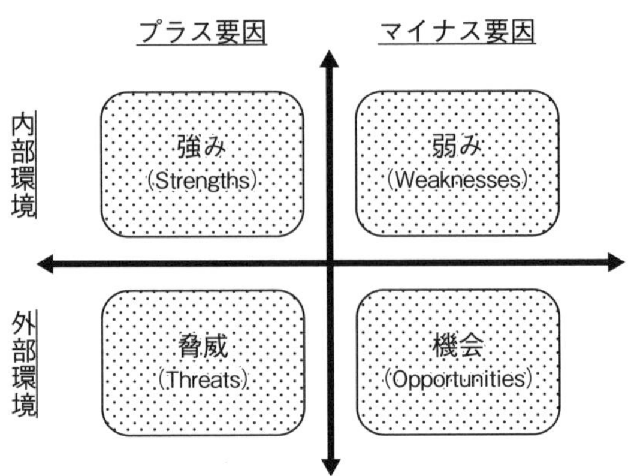

（注）筆者作成。

図表Ⅱ-5　クロスSWOT分析のフォーマット

		外部環境	
		機会	脅威
内部環境	強み	（強み × 機会）	（強み × 脅威）
	弱み	（弱み × 機会）	（弱み × 脅威）

（注）筆者作成。

げ，それらを強み（Strengths），弱み（Weaknesses），機会（Opportunities），脅威（Threats）の4つのカテゴリーに分類する。これにより，組織やプロジェクトの状況を共有し，取るべき戦略を策定するのである（アンドルーズ1976）。

SWOT分析の4つのカテゴリーを組み合わせたクロスSWOT分析を用いると，取るべき戦略についての重要度や，見落としている視点がないかをより明確にすることができる。

SWOT分析はツールとしても分かりやすいため，研修などで用いられることが多いが，実際に取り組もうとすると意外と難しい。それは，強み／弱み，機会／脅威を見極める観点が，えてして主観的になりがちだからである。例えば，市場分析において「少子化」，「スマートフォンの普及」などといったキーワードは，多くの人が思い浮かべやすい。しかし，事業に関わる立場や部署でも解釈は異なることが多い。そこで，多くの人が納得する形で客観的な指標を挙げようとすると，その指標を短時間のミーティングの中で用意するのが困難だったりする。そのため，SWOT 分析を用いるときは，組織レベル（経営トップ，幹部レベル，現場レベル）や地域・年代などのカテゴリーを明確にし，分析時に用いる指標をあらかじめ用意しておくなどの工夫が必要となる。

(j) ロジックツリー

ロジックツリーとは，コンサルティングの検討手法の１つであるロジカルシンキング（論理的思考）で使用される分析ツールである。

ロジックツリーは，問題の原因や解決策を検討するために，分析したい事象を構成要素に分解し体系的に捉えられるようにする。

ロジックツリーには，ある事象を分解して考えるための What ツリー，原因を追究して考えるための Why ツリー，問題解決の方法を追求するための How ツリー，の３つのタイプで作成する場合が多い。What ツリーは，事象をできるだけ部分に分解することで，問題となっている事象の全体像と構成要素を共有することができるようになる。Why ツリーは，中心となる問題事象に対して，原因がどこにあるのかを追求するために用いる。そして，How ツリーは，解決したい問題に対してどのような解決手法があるのか，その手段と目的を追

図表Ⅱ-6　ロジックツリーのレイアウト例（Why ツリー型）

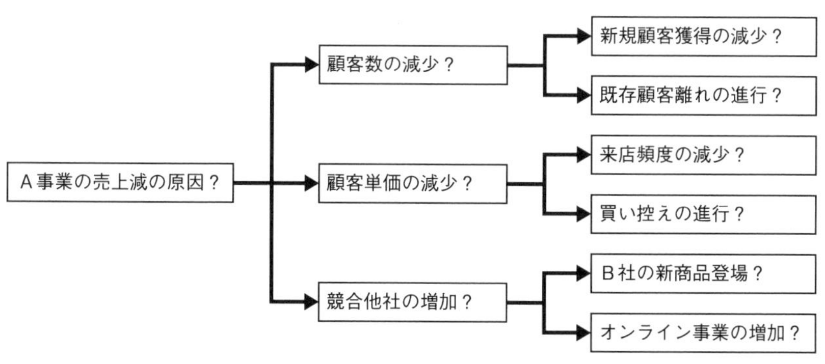

（注）筆者作成。

求することで，問題解決手法の全体像を把握することができるのである。

ロジックツリーを作成するときの原則として，MECE がある。MECE とは，“Mutually Exclusive and Collectively Exhaustive”（モレがなくダブりもない）という英語の頭文字を並べたものであり，問題や事象を検討する時の見落としや無駄をなくすために必要な考え方である（齋藤 2010）。

(k) チェックリスト

アイデアを発想するために検討する手順を，チェックリストにして集約して提唱している場合も多い。ブレインストーミングを開発したアレックス・オズボーンが提示したアイデア発想のための 9 項目は，「オズボーンのチェックリスト」として知られている（Osborn 1942；1952）。

図表Ⅱ－7　オズボーンのチェックリストの項目と考え方のポイント

項目	考えるポイント
他に置き換えてみる	他の用途，新しい使用方法，他の拡張方法，他の市場
適用してみる	類似品，複製品，別のアイデア
修正してみる	他の用途，意味付けの変更，形・色・匂い・動きなどの変更
拡大してみる	大きさ・強さ・重さ・厚さの追求，価値・時間・距離などの追加
縮小してみる	小ささ，短さ，低さ，軽さ，薄さの追求，省略・集中・分割など
代用してみる	構成要素・材料・アプローチ・プロセスなどの代用
再調整してみる	パターン・配置・頻度の調整・反転・再構築など
反転してみる	役割・上下・関係性などをひっくり返す
結合してみる	アイデア・目的・利害などを混ぜ合わせたり，組み合わせてみる

（出所）筆者作成。

(l) 「超」整理法と「超」発想法

『「超」整理法』がベストセラーとなった野口悠紀雄は，同書の中でアイデア製造システムについて言及している。そこで述べていた発想についての考え方を発展させまとめたのが，『「超」発想法』である（野口 1995）。同書の中で野口は，発想の五大原則を次の通りとしている。

①発想は，既存のアイデアの組み換えで生じる。
②アイデアの組み換えは，頭の中で行われる。
③データを頭に詰め込む作業（勉強）がまず必要
④環境が発想を左右する
⑤強いモチベーションが必要

野口は，これまで提唱されているマニュアル的発想法では，項目を覚えることで脳のワーキングメモリを消費してしまうことなどにより，本来の発想が妨げられてしまうとし，汎用的な発想法というものは考えにくいとしている。そして，発想の五大原則に基づいた環境支援や創造性教育の重要性を唱えている。

(4) 発想論理融合型

(m) デザイン思考

科学における思考法として「デザイン」を捉えたのは，ハーバート・サイモン（Herbert Simon）であり，その著書『システムの科学』に見られる（サイモン 1999)。デザイン思考は，デザイン設計の考え方を拡張し，商品開発だけでなく戦略策定などにも適用するものである。近年，あらゆる商品がコモディティ化し競合との差別化が図りにくくなってきている。そのような中でも，スマートフォンやタクシーのネット配車など，イノベーションを起こすような画期的なサービスや商品が生み出されてきている。こうしたイノベーションに向けて，これまでの経営戦略やマーケティング戦略は別の要素としてデザインが注目されるようになった。アメリカのデザインコンサルティング事務所 IDEO の創立者の一人であるデビッド・ケリー（David Kelley）が教授として着任したスタンフォード大学ハッソ・プラットナー・デザイン研究所（Hasso Plattner Institute of Design，通称 d.school）の教育が代表的なものである。

デビッド・ケリーから IDEO 代表を引き継いだティム・ブラウン（Tim Brown）によれば，デザイン思考とは「人々のニーズと技術の実現可能性，ビジネス成功への要請とを統合するためのデザイナーの道具箱から描き出される，イノベーションに向けた人間中心のアプローチ」としている。デザインとはアートと混同されやすいが，デザインとはユーザーを動かすために，制約の中で問題解決を図るための計画を立て，ユーザーに目的を伝える手段を客観的に実現するものといえる。アートにはないこうした目的や制約の中で，デザイナーの持つ感性や手法を駆使してデザインを完成させるのである。デザイン思考とは特定のメソッドやツールではなく，こうしたデザイナーが果たしている役割や，デザイン設計に用いている手順の全体を指す言葉である（ブラウン 2014；Brown and Katz 2009）。アートは課題提起，デザインは課題解決と考えてよかろう（境 2017）。

(n) 素人発想・玄人実行

金出武雄の発想法である。詳しくは【素人発想・玄人実行編】で記述する。

3. 効果的な発想法

ここまで見てきたように，様々な発想法が提唱されている。では実際に効果的な発想法とはあるのだろうか。

(1)　常に考えてみる

考えようと思うと出ないのに，ふとした拍子に良いアイデアが浮かぶ，なんてことは起こりうる。アイデアはいつ浮かぶか分からない。アルキメデス（Archimedes）の原理として知られる浮力の発見が，アルキメデスが風呂に入っていた時であり，服も着ないで飛び出していったというのは有名な話である。浮かんだアイデアを逃さないように記録することは重要である。

アイデアを得るためには，とにかく考えなくてはならない。野口悠紀雄はニュートンがリンゴの落ちる様子から万有引力の法則を発見したのは，万有引力について考え続けていたからだ，としている（野口 1995）。同じ光景を見ても，考えてなければリンゴと万有引力を結びつけることはできなかったとする。ならば，私たちはどのように考えるべきなのか。欧陽脩は考えが良く浮かぶ場所として馬上，枕上，厠上の3つを三上として挙げている。あらゆる場所で考え続け，良いと思われる場所や時間帯などを試してみるのも良いだろう。

何もないところで1から考えるのは難しい。いつでもどこでも考えるためには，頭の中に情報を詰めておかなければならない。ヤングは創造的な広告担当者は決まって次の2つの特徴を持っていたという。1つは，何にでも興味を持つということであり，もう1つは，あらゆる方面の知識をむさぼり食うタイプであることである。一見広告に関係なさそうなことでも特殊資料として収集し知識として蓄えることで，それらの組み合わせから新しいアイデアを生み出す，としている。

科学技術の分野において，素敵な偶然に出合ったり予想外の発見があることやその能力を，セレンディピティ（serendipity）と呼んでいる。もともとは18世紀のイギリスの政治家ホレス・ウォルポール（Horace Walpole 1717-1797）が生み出した造語である。ウォルポールが小さい頃に読んだ「セレンディップ（現在のスリランカ）の王子」という童話に基づいていると言われる。セレンディピティを磨くためには，夢中になること・広く情報を収集すること・熱中だけでなく冷静さをも持つこと・他人の意見や批判も受け入れること・五感を敏感にすること，の5つが条件とされている。アントニオ・ダマシオ（Antonio Damasio）は，五感を刺激し感動を引き起こす物語をつくるものとして，「意外性」と「なつかしさ」を挙げている。見方を変える「意外性」と，自らの体験に照らし合わせる時に起こる心の動きとしての「なつかしさ」が五感を刺激し，これまでの考え方や周りを見る視点に変化を引き起こし新しいアイデア創出につながるのである（境 2017）。

(2)　失敗から学ぶ

失敗はできればしたくない。渾身のアイデアや提案が否定され一蹴されると，いたたまれなくなる。こうした考え方が，次のアイデアや飛躍に向けた心の動きを萎縮させてしまいがちである。

世の中喧伝されている画期的なアイデアは，失敗から生まれたと言われることが多い。野口悠紀雄は失敗から学ぶことは後づけの発想法と指摘するが，それでも自分が考え実行した結果，どこに不具合があったのか，改善すべき点がなかった，などを検証し共有することが大切である。ノーベル化学賞を受賞した白川英樹は，学生による実験の失敗が，受賞対象となった導電性高分子の研究のきっかけになったとしている。梅棹忠夫の記録法や野口悠紀雄の超整理法も，自身の失敗や試行錯誤の結果編み出されたものである。

最後に，畑村洋太郎の失敗学の提唱もまさに失敗から発想し，学び，成功への転換をはかることが重要であることを示している（失敗学会 2005，畑村 2005a；2010）。

(3)　自分に合ったアイデアの出し方を使ってみる

1から考える場合，事前に充分に情報収集や調査を行ってから考える場合，時間的コスト的な制約が多い中で考えなければならない場合，アイデアを出さなくてはならない状況は様々である。これまで挙げた発想法やツールの中で，自分のやり方に合うものを試してみることは必要である。

ヤングや梅棹忠夫は，発想法のツールとしてカードに書き出すことを奨め，川喜田二郎のKJ法も，梅棹と同じ野外調査の経験からカードの使用をもとにしている（梅棹 1969；川喜田 1967；1970）。

野口悠紀雄はインターネットが普及する前の段階で，パソコンや音声メモの活用を説いている（野口 1995）。現在はスマートフォンで画像・動画・音声などが容易にどこでも記録することができるし，かつ数多くのアプリケーションツールが用意されている。『「超」整理法』の時代では音声データは自分か秘書がテキストに起こす必要があったが，音声データもスキャンした本のページもスマートフォンで容易にテキスト化が可能である。こうした中で，自分に合ったアイデアの出し方とは何かを検討する必要がある。

(4)　アイデアを寝かせてみる

思いついたアイデアがそのまま実現可能な最終形となることは少ない。ヤングのアイデアのつくり方の第３段階では，シャーロック・ホームズが事件解決の前にワトソンを音楽界に引き出したことを例に挙げ，アイデアをそのまま何もせず無意識の状態にすることを説いている。外山滋比古は，アイデアをむやみに追いかけずに睡眠を十分に取れば，睡眠中の脳のはたらきで目覚めたとき，よい形になることがあるという。ただし，それは常に考えていることが前提であるという（外山 1977）。

野口悠紀雄は，考えを頭に詰めた状態で，散歩など体を動かすことを奨めている。欧陽脩の三上も，アイデアを考えるだけでなく別のことに取り組むことで思いついたアイデアを寝かせておく場も兼ねているように思われる（野口 1995）。

ヤングは，第３段階に入る際に，音楽を聴く，劇場や映画に出かける，詩や探偵小説を読むなど，自分の想像力や感情を刺激するものに心を移すことを奨めている（ヤング 1988）。日本の場合，例えばお笑い，漫才や落語を聴くのはどうだろうか。落語の登場人物はしくじったりダメな者が多いと言われる。自分が失敗しなくても，失敗を目にすることができるのである。そして立川談志が言うように，落語は「人間の業の肯定」であり，失敗を否定しない。それに加えて，落語のストーリーや寄席芸は，様々なアイデアが詰まっている。長短，お見立て，反対車など，演目名がすでにアイデア創出のチェックリストのようであるし，実際キャラクターの造形やストーリーが類比構造になっていることも多い。落語が好きだった藤子・F・不二雄の「ドラえもん」に出てくるのび太は，ドラえもんのひみつ道具を使って失敗することが多いが，落語のストーリーと共通するものがあるといえる。テレビでなじみのある落語家による大喜利はアイデア創出競争である。

このような視点で一度思いついたアイデアから離れて寝かせておくのも一考であろう。

(5) アイデアを人に語ってみる

思いついたアイデアが本当に実施可能で斬新なものであるか，思いついた当人には主観が入ってしまい，判断がつきかねる可能性がある。ここまでに登場したなぜなぜ分析やKJ法などは，個人でも実施できるものの，より威力を発揮するのはグループや組織で行うときである。

野口悠紀雄は，風呂に入っている際に思いついたアイデアを忘れないように記録するため，幼児用のおえかきボードや耐水性のノートなど，あれこれ試行錯誤した。ところがある時友人から，「風呂場といっても湯に潜って書くわけではないので水のかからない場所はあるのではないか」との指摘により，ふつうの鉛筆とノートで事足りると気づいたという。

「岡目八目」とはよく言ったもので，自分では気づかなかった欠点や見落としを他人が一言で指摘してくれることがある。阪神タイガースで活躍した藤川球児は，ドラフト1位で入団した後1軍ではなかなか活躍できず故障しがちで伸び悩んでいた。藤川は，速球を投げるためには体にタメを作る必要があるとの考えから，軸足の右ひざを折り曲げ，そのひざがマウンドに着くくらいまで重心を下げるように投げていた。その投球フォームを見た2軍投手コーチの山口高志は，藤川に「球児，右足ちゃうやろ」と指摘し，軸足の右足を曲げなくてもタメが作れることを示してみせた。山口の指摘をきっかけとした投球フォームの改造により，藤川は球速が10キロ以上も上がり「火の玉ストレート」と呼ばれる決め球となりその後大活躍したのである。飛躍のきっかけは山口コーチの一言だが，もちろんそれには，藤川の日頃の努力や試行錯誤という，「常に考え」たからこそである（野口 1995）。

野中の組織的知識創造理論では，SECIモデルが機能するためには，知識の共同化や結合化がなされるための「場」が重要としている（野中ほか 1995）。「場」は，異なる組織成員が意見を交わしあったり，新しい知識を得るために設定されたりする必要がある。ブレインストーミングや「ワイガヤ」は，その場づくりの具体的なあり方ともいえる。

自分に合った発想法やツールを見つけてまずは考えてみる。ただし考える際にはマニュアルや発想ツールを使うものの，それに頼らない。失敗を否定せず人とも共有し，考えを熟成させる。こうしたことが習慣化できれば，アイデアの創出や発想の方向性が，より一層広がっていくのではないだろうか。

【素人発想・玄人実行編】

1．素人発想・玄人実行の系譜

(1) 長尾真：素人の目，学問の目的，研究，師，学問と実践，21世紀の概念

長尾真氏の最終講義「人間的情報処理を目ざして」（1997年）が『教授退官記念誌』に掲載されている（長尾 1998）。

長尾氏は京都大学名誉教授，同総長（1997-2003），情報工学の第一線で活躍，民間から初となる国立国会図書館長を歴任した。長尾氏に指導を受けたのが，金出武雄，辻井潤一，松山隆司，松本裕治，佐藤理史，黒橋禎夫，中村裕一ほかの諸先生方である。

最終講義は大きく4つの章から構成されている。

1. パターン認識について　2. 機械翻訳について　3. 電子図書館について
4. 随想

このうち，「4. 随想」から示唆に富む内容を紹介する。

(a) 素人の目

長尾氏は，自分は長年携わった研究分において常に素人であった。あるいは素人で通してきた。自分は普通の人が素直に考える考え方にくみし，そこに新しい体系を打ち立てる努力をする。

(b) 学問は何のためにするか

全ては人間にもどってくる。真理の探究，学問のためという名のもとで研究者に傲慢があってはならない。公費で好きな研究を自由にさせてもらえる身分なのだから，謙虚にならなければいけない。

(c) 研究について

長尾氏は，研究については日本の研究者が欧米の論文を読みすぎており，彼らの論文からヒントをえて，それを改良・発展させる研究を行いすぎていると指摘する。

他人がやっていないことこそ自分がやる値打ちのあることである。新しい分野の研究は初めのうちはたくさんの研究成果も出せるものの，10年もすれば本質的な問題はほとんど解決し，残るのは重箱の隅をつつく問題，難しく解けない問題である。その頃には多くの研究者がこの分野に参入して研究するので，自分がやらずとも誰かがやってくれると思い，その分野から退くことをしてきたという。世界には未知のことで解明すれば社会に役立つことはいくらでもある。

(d) 師について

自分は学内外の多くの先生にめぐまれ，様々なことを学ぶことができた。先生方に共通するのは学問に対する尽きせぬ興味，好奇心そして情熱である。

(e) 学問と実践について

現代はあまりにも頭だけが発達しすぎている。発言だけが多すぎる。実践がそれに伴っているかという疑問である。それは私自身に問いかけ，解決すべき問題なのである。過去を断ち切る勇気を持ちたいものである。

(f) 21世紀の概念を求めて

ギリシアから現在まで単純化してながめると，知情意のサイクルを画いてきているように思う。知のギリシア，情のキリスト教時代，意のルネッサンス，再び知の19世紀・20世紀となっている。私は21世紀の概念は情であり，情の時代になってゆくと思う。知の行きつく先には情が再び現れてくるのではないか。科学技術の発展により，マイナス面が強く現れ始め，このままで科学技術を進めてよいものかという疑問が出されている。21世紀の日本では，古来の文化のなかに情の感覚が底流に流れ，私たちはこれらのもつ普遍性，正当性，価値，大切さを世界に訴える必要があり，私たちはもっと自信をもつべきだと思う。

次に，情報処理学会において，100年後はいかにあるべきか，そのために情報関係の私たちは何をすべきか，という立場から長尾氏が述べた意見を記載する（長尾 2021）。

100年後を目指した情報科学の研究活動について，100年後の目標：世界人類の平和的共存・共栄である。そのためには，あらゆる人，民族，国家間の相互理解の実現，また人類が安寧に共存できるための地域環境の改善を図る必要がある。そのために実現すべきことは以下の通りである

(a) あらゆる分野における生産性の向上と富の局在を避け，世界中の人がそれなりの生活ができるようにする経済（配分）システムのモデルの作成，そのための富の局在や人たちの生活実態の把握と情報公開の実現。

(b) 世界中の人たちの教育レベルの向上と信頼・寛容の精神の大切さの自覚を促進し，そのための教育プログラムの開発，それが使える数十億人が持てる安くて何でもできる情報端末の開発。

(c) 世界中の人が言語の壁を超えたコミュニケーションができ，相互理解の促進ができる環境の整備，機械翻訳が2の情報端末で実現し，グローバルに情報入手，処理ができ，誰でもがコミュニケーションできること。

(d) 各民族・国家のもつあらゆる有形・無形文化財のデジタル提供による他文化理解の容易化，それを通しての民族間の相互理解の促進。

(e) 地球環境破壊を防ぎ，よい地球環境の再現，そのための地球全体の環境情報の計測の実現。

(f) 世界中の人たちの健康な生活の実現，そのための情報の周知。

(g) 人間の頭脳機能のシンボルレベルでの解明とモデル化。

(h) プライバシーが守られる社会の実現。

(i) 社会現象や経済現象などのマイクロレベルでのシミュレーションと良い方向への予測の実現。

以上の課題に対して情報科学ができることは山積している。それらを洗い出し，10年単位でどのように実現していくか。学会が明らかにすべきである旨，長尾氏は提案する。

(2) 金出武雄：素人発想・玄人実行

金出武雄氏は，コンピュータビジョン，ロボット工学を専門とする計算機科

学者である。京都大学工学博士，2019 年文化功労者，京都大学助手，助教授，カーネギーメロン大学高等研究員，教授，ワイタカー記念教授，ワイタカー記念全学教授，ロボティクス研究所・所長，生活の質工学センター・センター長を歴任した。産業技術総合研究所ではデジタルヒューマン研究センター長を務め，2015 年より名誉フェローである。翌 2016 年には理化学研究所 革新知能統合研究センター 特別顧問に就任し，同年，京都賞（先端技術部門）を受賞した。2020 年には学士院会員に選出されている（第 2 部第 5 分科)。

自らの経験をまとめた金出氏の『独創はひらめかない』は業界を問わず，様々な場面で示唆を与える。

金出武雄「問題解決の 7 か条」

上記著書に先立って，インタージャーナル「創造力の 7 か条」（聞き手 桂木行人）［2006-2007 年，全 7 回］というコラムが示唆に富む。ここでは要点を述べたい（金出 2006；2007)。

〈1〉できる奴ほどよく迷う：「希望」と「目標」

研究は試験とは違う。その問題は解いて価値のある問題か。そもそも答えがある問題か。

研究，開発というものは「具体的な目標」を持ったものでなければならない。ところが「目標」と「希望」をはき違えてしまう。一方，「希望」とは，良い仕事をしたい，スカッとした研究がしたい，本質的で基礎的な仕事をしたい，といったその研究の結果の性質に対するものである。研究の課題ではなく，結果の性質について考えるのが「希望」だ。

「目標」とは，具体的であり，研究が行きづまっても，目標そのものが見通しや，指針を与えてくれる。目標を下げたり，上げたりすることも具体的な目標が明快であれば出来る。

〈2〉できる学生-1

カーネギーメロン大学で 25 年コンピュータビジョンを教えてきた。毎年 4 人の学生を教えて，これまで 100 人ほどになるだろうか。このうち 10 人ぐらいは現在でも良い仕事をしている。その学生から得た知見がある。

1. 思いついたらすぐやる

彼は（のちにアメリカの大学教員に就任），非常に具体的に物事を考えると同時に，何かしたいと思ったら，すぐにモノ（実験装置）を作ってしまう。技術者は道具が何もかも用意されているところで仕事ができるとは限らない。どこかで適当な道具を探してきたり，改良して実験道具にしたり，持っている人に使わせてもらうこともある。その交渉技術も研究を進めるためには重要なのだ。その練習もしろというわけである。

2. 簡単な例題で理論を作る

科学や工学の基本は，世の中に起こっていることを簡単，省略，抽象化してみることだ。単純化の量が足りないと，難しくて理論にならない。一般的にいえることは，単純化，抽象化が進めば進むほど，美しく，鮮やかな理論ができる。単純化がちょうど目的に合致する適当な量であると，役立つ理論となる。思い切って単純化できるかどうかが，できる人とできない人の差である。

しかしこれが難しい。複雑からどんどん単純にしていくと，ある時点で「自明の谷」に落ちてしまう。もう当たり前，理論でない状態に達する。この「自明の谷」の崖っぷちの手前で留まり，元の問題の本質を昇華した形で残し，最も分かりやすい形で仕上げたものが，すばらしい理論であり，説明なのだ。

〈3〉できる学生-2

1. デバッグの仕方

デバックの仕方を見ると，彼の能力が分かる。答えの分かっている「例題」をつくってプログラムを走らせることができるかどうかである。できる学生は「例題」を作る能力が優れている。バウンダリー（境界）の内側と外側のすれすれのところの例題を作り出せることで，「自分のアイデア」の足りなかった部分，範囲の意味がはじめて分かることになる。

2. いかに易しく説明できるか

私の流儀は「最も易しい数式を使って自分の理論を説明する」ことである。

〈4〉アメリカの学生・日本の学生

日本の大学院生はアメリカの大学院生に比べてずいぶん高級な理論を知っているが，その知識が役立っていない。簡単で見通しの良いモデルがないと，設計をどう変えればよい素子ができるのか指針が得られない。

教科書をはじめ，日本の学校教育では，知識を一般化し，整理した定理という形で与え，定理を問題にどう当てはめるかを練習する。実験で正しいと分かっている知識を追認する手順を教えることが教育の根本にあり，これを問題解決と考えていることに誤りがある。

実験は，理論で予測された結果を確認する手順であり，これでは興味を持てという方がおかしい。問題を設定し，解決するトレーニングとはかけ離れている。本当の能力は具体的な現実にある問題を解く能力である。

〈5〉数学の力と実験の力

問題解決のために役立つ方式がいくつかある。そのうちから，数学と実験という２つについて少し考えてみよう。

1. 数学の力は２つある。

第一に，数学は自分のアイデアを相手に正しく，正確に伝える力である。表現を支援してくれる道具である。第二に，数学は推論する道具である。ほんとはこの力がすごい。

数学は，持っている基本的な推論方式が，私たちに替わって仕事をやってくれる。数学自身がやってくれるこの力が，数学の一番の力だと思う。

2. 実験にはシナリオがある

結果が不確実であることは，当たり前であるが，不確実を織り込んだしっかりしたシナリオは書ける。不確実とあいまいとは違う。

〈6〉アナログとデジタルの彼方へ

現実世界はアナログ世界である。アナログというのは，「連続性」という意味ではなく，「物理現象」を使っているという意味だと考える。デジタルは，物理世界を抽象化することでパワフルな計算力を持った。

最近，アナログが見直されてきている。物理世界がもつ多様性が着目されてきたからだ。

アナログ計算というのは，本来英語のAnalogousという言葉が示すように，調べたい元の現象（例えば流体現象）を，それと「相似」の現象（電気現象）に置き換えて問題を解くという意味であった。

アナログが注目されているということは，アナログ計算とデジタルの計算機とをうまくインターフェースすることにより，多くの可能性が拡がってくると考えられているからだ。

アナログとデジタルが結婚することでコンピュータがフィジカルになる。

〈7〉素人発想・玄人実行

「素人発想・玄人実行」とは，素人のように発想して，玄人として実行するということだが，これは，玄人つまり専門家に対する警告である。

研究開発にとって発想は，単純，率直，自由，簡単でなければならない。そんな，発想を邪魔するものは何か。それはなまじっかな知識――知っていると思う心――である。既存の方法でうまくいったという経験と知識が発想の貧困を招くこともある。

玄人がもつ成功体験のパラダイムからいかに自由になるかが難しい。パラダイムとは，そのパラダイムの内部にいる人間にはそれとして自覚できないものだ。だからといって，玄人が素人と組んだらよいかといえば，大方それも駄目だ。「考えるときは素人として素直に，実行するときは玄人として緻密に」行動しろということだ。本当の玄人は，「自分の玄人性」に自ら疑問を持てる人だ。一度リセットして，自由な素人発想をしなければ，次の段階に進めない。せっかく築いたものでも捨てなければならないことがある。プロとしていい仕事ができるか，できないか，アイデアを完成できるかどうかの分かれ目は，捨てて変える決断力，勇気があるかどうかであろう。

最近は「失敗学」などという学問もある。「成功から学ぶ」とか「失敗から学ぶ」とは誰でもが考えることである。実は「成功を疑う」ことが一番難しい。

上記のコラムとは別に，金出氏は，自分のアイデアの表現方法について，経験知を述べている。最初に，人の関心は最初がもっとも高いため，手持ちのカードのよいものから順に出す。よくいわれる手法の結論から話せというものである。次に，驚きを用意することである。相手が知っていること，知らないことを半々程度に調整する。難しいことはわかりやすい例でイメージを喚起させる。最後に，発表スライドは一目見てわからないように作る。発表を見に来た意味が生まれるようにスライドに過剰に書きすぎない。聴衆をコントロールするのである（金出 2003）。

「素人発想・玄人実行」を実現するために大事なこととして，金出氏は「発想する」「シナリオを作る」の２つを挙げる（CEDEC 2016）。

まず発想は，「身の回りからヒントを得る」ことが大切である。そして，それが飛躍しているように見えたり，いいかげんに見えたりしても否定せずにひとまず許容する。金出氏は「本当にそうなのか」「それは実現できるのか」ではなく，「もしそうだったら」「実現できたら」というアプローチが必要であるという。

後者のシナリオを作るにあたっては，「何がどうしてどうなった」「どこでどんな風に役に立つ」ということを「広く，大きく，自由に，楽しく考える」ことが重要である。話が広がればより多くの人が参加できる余地が生まれる。この考え方やアプローチに基づき，金出氏は様々な研究を行った。その１つが，数年来注目を集めている VR である。新しいことに価値があるのではなく，役に立つことに価値がある。それを実現するためには成功に至るストーリーの存在する「焦点の定まった研究」が重要であるという。

ここで１点，留意すべきことを述べたい。金出氏の座右の銘について，元来は，「素人発想・玄人実行」ではなく，「素人発想・玄人実装」であったことである。「実装」とは，すなわちコンピュータやシステムにおいて新たに機能の付加（implementation），動かすことの重要性を強調した。しかし一般に巷では馴染みの薄い「実装」に代え「実行」も用いたのである。ただ，「実装」に比べ「実行」では，社会一般に金出氏の考え方を普及するには貢献したものの，本来の彼が目指した，モノづくり現場において結果・成果を重視する強い意思が多少とも希薄化したのは否めなかったであろう。本稿では，以下，実行と実装を分けて使用することとした。

いずれにせよ，金出氏の主張は著書の目次を見るだけでも十分に理解することができる（金出 2012)。

＊金出武雄『独創はひらめかない』 目次

「素人発想・玄人実行」は農業，工業，商業、総合産業，あらゆる業界に示唆を与える（境編著 2020)。

ゼロベース思考

ゼロベース思考は，過去の経験や知識の枠組みを外すことからスタートし，白紙の状態で考える。過去にとらわれないので，「こうかもしれない」と仮説を立てたり，「あんなことができたらよいな」と未来への希望を抱いたりと，発想の翼を自由に広げられる。

京都大学高等研究院招聘特別教授でロボット工学者の金出武雄氏は，独創的なアイデアを生み出すため，知識も経験もない素人のように発想する大切さを，次のように指摘している。

「発想は，単純，素直，自由，簡単でなければならない。そんな，素直で自由な発想を邪魔するものの一番は何か。それはなまじっかな知識―知っていると思う心―である」（金出『独創はひらめかない「素人発想，玄人実行」の法則』日本経済新聞出版社，2012 年）。

また，『0 ベース思考 どんな難問もシンプルに解決できる』（ダイヤモンド社 2015 年）を著した経済学者スティーヴン・レヴィット氏（Steven David Levitt）と，ジャーナリストのスティーヴン・ダブナー氏（Steven J. Dubner）は，問題解決法を見つけるには「人為的なバリア」を無視するのが重要だと説いている（レヴィット・ダブナー 2015）。

人為的なバリアとは，「これ以上は無理だろう」と限界を決めてしまう思い込みのこと。人為的なバリアにとらわれず，「何ができるか」に意識を集中することこそ，問題解決のカギだそう。つまり，ゼロベース思考を使えば，従来の成功手法が行き詰まったとき，未来に向けて思考を飛躍させ，独創的なアイデアを生み出せる。

既存の経験や知識をリセットするゼロベース思考では，以下の点に留意する必要がある。

①「自由な発想」を妨げる要因をリストアップする

まずは，自由な発想を妨げる要因となりそうな経験や知識を書き出してみよう。「安くすれば売れる」のような暗黙の常識なども書き出すことで，ゼロベース思考のためにリセットすべきものが可視化される。

②「解決策はある」という前提に立つ

ゼロベース思考では,「解決策はある」という前提で考える。過去の失敗経験・成功体験にとらわれ,「解決は不可能では」と思い込んではいけない。

③「顧客目線」で価値を考える

自分自身や所属する部署,自社の立場だけで考えるクセがついていないか。ビジネスパーソンにとって大事なのは,徹底的に「顧客目線」で価値を考えることである。

「顧客」とは,商品やサービスを購入する消費者だけではない。あなたが人事部や総務部に所属しているなら,社員全体が顧客である(齋藤 2010,金出 2012,横田 2015)。

ゼロベース思考のトレーニング

ゼロベース思考のメリットや成功例がわかったところで,どうすればゼロベース思考を実践できるようになるか。ゼロベース思考のトレーニングとしておすすめなのが,メモをとりながら「本来どうあるべきか」「どうなったらよいのか」を考え抜くことである。

①テーマを決め,考えていることを書き出す
②シンプルに考える
③素直に考える
④自由に考える
⑤初歩的な知識やスキルで考える
⑥何が大事かハッキリさせる

(3) 福永泰:CONVERGENCEと融合型研究の3つのフレームワーク

福永泰氏は,京都大学工学部,同大学院を修了後に日立製作所に入社した。同社の日立研究所,同中央研究所,日本電産モーター基礎技術研究所での所長を歴任した。彼も長尾真氏に指導を受けた。福永氏の研究所運営の哲学は以下の概念で説明される(福永・竹内 2006,日立製作所 2007,福永 2021)。

① CONVERGENCE(共創・協創・融合)研究の推進

解析型研究から統合型研究へ展開する。

②CONVERGENCE（共創・協創・融合）の起源

江戸学・京都学・奈良学・出雲学へと展開した歴史がある。

③融合型研究の3つのフレームワーク

技術，出口のマトリックス

パズル型よりレゴ型開発へ

3%の輪で人と人，技術と技術を接続

共創とは1つの目標に向かっての協働，協創とは構成員の個性と能力を引き出しての協働を意味する。研究所内の協創，あるいは事業部間，顧客との協創という形で新しいものを生み出す力が重要である。イノベーションは，単に研究成果を論文にして特許を取ればよいというものではなく，製品やサービスという出口までつなげ，それによる社会貢献という使命を果たさなければならない。そのためには，研究所内だけで閉じず，外部や事業部との連携，研究所間の人的交流も，推し進める必要がある。

ここで求められる人間のモデルとして，π型，T型がある。π（パイ）型の人間とは，2本の縦軸が，横軸を支えているπの形のように，自分の専門分野以外にも強みを持っており，それによって飛躍が可能である人を指す。π型まで行かなくとも，T型の人間であれば，Tを二人合わせればπになる。そのために，私（所長）は研究者たちには，自分の成果の中で3%だけ隣とつなげる仕事をしようと呼びかけている。すると，2人の成果が$(1.03)^2$の力になる。単純計算で，その1.03倍の成果を持った人が236人並列につながれば，(1.03の236乗で）成果は1,000倍を超える。そして分野の異なる人間どうしがつながることが重要となる。それを推し進めることが，研究所運営の使命と考える。

イノベーションにつながる「協創」の鍵となるのは，研究者一人一人，さらには組織全体としても，T型，あるいはπ型，「くし型」として力を発揮できるようになることではないか。

当時，日立製作所・元会長であった庄山悦彦氏は従業員に対して，π型の人間になることを希求した。要は強みとなる専門性をいくつも持ち，それを基軸として飛躍のチャンスに繋げていくことが重要であると説いた。

庄山氏は1999年に日立の社長に就任し，買収による多角化路線を採った。グローバル展開を謳い，その目玉として米IBMからHDD（ハードディスク事業）を買収した。しかし薄型テレビ，ディスプレー，HDDのいずれもが業績低迷の原因となった。2006年，庄山氏は経営責任を取って相談役に退き，社長に古川一夫氏を起用したが成果を得ることはできなかった。結局，日立製作所のV字回復は川村隆氏の社長就任を待って実現することになる。

(4) 出原至道：「つなぐ」と「けずる」

考案者，出原至道氏は多摩大学経営情報学部教授である。東京大学工学部都市工学科を卒業し，同研究科都市工学専攻修士・博士課程を修了して，博士（工学）である。応用情報処理技術者，日本VR学会会員でもある。

出原氏の転機は，1998年に応募したIVRC（学生対抗手作りバーチャルリアリティコンテスト）において，ゼミ学生チームの作品「Genshi」が全国2位の評価を受けたことである。これ以降VRを活かした「モノづくり」がゼミの大きな研究テーマとなった。

この後，NHKロボコン出場（2002年），IVRCでのフランスLaval Virtual招待獲得（2003年），SIGGRAPHとモナコImaginaへの出展（2003-2004年），Laval Virtualへの直接応募による審査通過（2005年），フランスの大学ESIEAとの交流提携と留学生の交換開始（2009年）などを経て現在に至る。

さらに出原氏は，成城学びの森・境講座では，ゲスト講師として登壇され，画像認識，IBM Watson，word2vecなどAIのデモンストとレーションなどを実演し，筆者の特別研究における共同研究者（2018・2019年度）でもあった。

本稿では，成城学びの森オンデマンド秋冬講座2020／新事業創造のためのプロデュース手法（境講座）において展開された講座内容から紹介する（境2020）。

学生作品制作にみる発想法：「つなぐ」と「けずる」

目次

1. これまでどのような「発想」で成果を出してきたのか？

2. 自分の発想の「タイプ」を知ろう
3. 発想から実装へ

第1節では，出原教授の研究室でどのような「発想」で成果を出してきたか，成功したプロジェクトに共通する要素はとしては，

- 「このようなものを作りたい」という発想力
- 実際の世界にそれを作り出す実装力
- 実現に向けた活発な議論

次に，第2節では自分の発想の「タイプ」を知ろう，と題して発想者のタイプには大きく2つ，技術ベースタイプと全体イメージタイプがあると指摘する。ちなみに出原氏は技術ベースタイプに属する。

技術ベースタイプ

- 「何を使うか」「どう作るか」「何を触らせるか」などが先にくる
- 個別の体験を具体的・実現可能
- 全体目標を見失いがち

全体イメージタイプ

- 「こんなものがあったらいいよね」が先にくる
- カタカナ語とか擬態語とかが多い（偏見かも）
- 実現可能性は考えない

続いて，第3節では発想から実装へ：「つなぐ」と「けずる」と題して，目的と達成するためには使用できるあらゆる手法，道具を駆使すること，弾を増やして，「できること」の幅を広げると同時に，実現対象を「研ぐ」必要があることの重要性を強調する。そして「つなぐ」と「けずる」を繰り返して達成水準を上げる。

つなぐ

これらは，実際に学生が国際大会で展示したときに使ったものである。使用できるあらゆる手法，道具を駆使し，弾を増やして「できること」の幅を広げる。

- 中華テーブル
- 自転車の反射テープ
- 洗濯用風呂水ポンプ
- カーブミラー
- 洗濯機のモータ（フランス学生チーム）

●水道のホース

加えて，その分野の専門的な要素技術も（もちろん）必要：

● C ++/C#/Java ● OpenCV ● OpenGL

● Kinect SDK ● Leap Motion SDK ● Unity 3D

● Oculus SDK ● Blender

けずる

実現対象を「研ぐ」必要がある。

●まず，実現可能なところまで，目標を持ってこなければいけない

●「なにが実現されればよいのか」を純粋に追求することにより，メッセージの明確なモノになる

●往々にして，できることは何でも詰め込みたくなる（特に技術系）が，それは主題がボケる原因になる。大胆に，切るべきである。

そして留意すべきは，アイデア出しを行う場合，使えるか否か，実現可能性があるか否か，を一切考えない「無責任モード」（出原研究室の用語）を採用することが重要である。社会人では無責任モードを採用すること自体難しさがあろうが，このバイアスを減少させる工夫が必要となる。出原氏の見解は金出氏の見解とほぼ一致しているといえる。

(5) 早野龍五：「科学的」の意義

早野龍五氏も金出氏と同様のことを説く。彼は東京大学名誉教授であり，本書はビジネス書であると同時に科学的発想の入門書でもある。長年ジュネーブの CERN 研究所を舞台に，世界を相手に研究者としてきたが，10 年前に世間に引きずり出されて人生が変わった。

「アマチュアの心で，プロの仕事をする」こと，いいかえると面白がりながら仕事をすること，そして「巻き込まれる」こと，いいかえると「巻き込まれる人生というのも捨てたものではない」ということである。前者は指導教授であった，山崎敏光氏（1934）の教えであった。

山崎氏は昭和後期-平成時代の物理学者である。カリフォルニア大学研究員

などをへて，1972年，東京大学教授となった。1986年に同原子核研究所長，原子核物理の研究で知られ，中間子物理の実験的研究において，1987年に学士院恩賜賞，2005年に日本学士院会員となった。2009年には文化功労者にも選出された。

科学は間違えをするし，決して万能ではない。同時に科学は不断に検証されながら進歩する。間違いであったとしても，それは無駄ではなく，いつか修正される。それが科学の素晴らしい点である。営みを積み重ねていくことが重要なのである。

そして，その人の科学的実績「のみ」を判断基準とするのでなく，その人が醸し出す人柄，教養も大事である。いかなる状況でも，科学に感動する場面に出会いたい。「科学的」は武器になるだけでなく，人を豊かにする。

本書の主要な目次を確認すると，はじめに　科学という羅針盤　第1章　世界への扉――松本　第2章「自分でやる」を叶える土台――アメリカ～カナダ　第3章　人がやらないことを見つける――つくば　第4章　枠の外からエサを狙う生き方――ジュネーヴ　第5章　社会のための科学者――福島　第6章　科学者の「仕事」――東京　おわりに　ぶれない軸で世界を歩め　計8章から構成される（早野 2021）。

2. 発想法・思考法の発想と論理：三谷宏治『超図解 全思考法カタログ』による総括

三谷宏治によれば，思考法とされるものは，およそ20の思考法に整理される。最初に，①発想　②論理　に分類し，さらに，③発散，拡げる，④収束，絞る　という2つの観点からマトリクス化した結果，4つに分類できることになる。最後に，⑤デザイン思考　を配置している。20の思考法は以下の通りである（三谷 2012）。

＊発想×拡げる

ブレインストーミング，逆ブレインストーミング，オズボーンの73の質問

マンダラート，類比，異視点，JAH

＊発想×絞る

KJ 法，直感投票

＊論理×拡げる

ロジックツリー，プロセスフロー，ベンチマーキング，アンゾフ・マトリクス

TOWS マトリクス，トレード・オフ マトリクス，重要思考

＊論理×絞る

演繹（帰納／仮説的推論）

＊デザイン思考

観察，デザイン思考 試作，デザイン思考 テスト

思考とは，最終的に「拡げる」「絞る」こと，ならびにその繰り返しに尽きる。拡げるための技があり，絞るための型がある。先人は「思考法」（思考の技と型）を開発してきたのである。デザイン思考はアイデアの「積み上げ」によるプロセスであり，「ブレインストーミング」の段階ではアイデアの幅に制限を設けることはほとんどない（Robson 1988）。これにより，参加者の失敗に対する恐怖は小さくなり，アイデア出しの段階で広く多様な情報源を用いることができる。「箱の外に出て考える（out of the box thinking, outside the box)」というフレーズはブレインストーミングの目標の１つを表現している。それにより，与えられた状況下における隠された要素と曖昧さを発見することが容易になり，誤った前提を発見する一助ともなる。

3. 新たな発想法：境 新一ほか「ブレインマップ」

(1) ブレインマップの概要

本書で私たちが新たに提案する「ブレインマップ」（brain-mapping, brain-map）は，2008 年から成城学びの森（生涯教育支援事業）の一講座を担当してきた境新一が，そこに集った受講者からの問題提起をもとに，その一人で

あった榎本正，大学院生の谷真哉とともにアイデア，情報などを整理して可視化する発想法ならびにシートの開発，そして記載方法の試行錯誤を繰り返してきたものである（境ほか 2018；2019；2020；2021，境 2020；2021a；2021b；2021c）。

本マップの特徴は，作成者の目的に応じて，主要な情報／論点を一目で理解できるように1枚で完結（一覧性）し，整理するのに有効な手法である。また，実装部分より発想部分を重視しているものの，発想系のマインドマップ，分類系のKJ法などの双方の機能を持つ。ここでは，ブレインマップの基本的な概要について以下に説明する（図表Ⅱ-8）。

本マップの形式は，主に，マップ全体の目標や目的，中心となる概念や核となるテーマ，マップからもたらされた結果を表す「中央マス」と中央マスを補足する情報を表す「周辺マス」に分かれ構成されている。

(a) 中央マス

①「中央マスの上」

最初に書き始めるこのマスは，マップ全体に関わる作成者の目標や目的に関する内容が記載される。具体的には，案件名や構想からイメージされる物語（ストーリー）と予想される結果，さらに付随する問題点や現状の解決策の方針を記述する。

②「中央マス中」

次に，中央マスの上に基づき，中心となる概念や核となるテーマを記載する。この後に説明する周辺マスに記載する中身は，主に中央マスの内容を中心に，それに関連する情報となるため，マップの基本方針をなす重要な内容になる。

③「中央マスの下」

最後に，中央マスの上，中央マス中，周辺マスまで埋められた後，全体を俯瞰して得られた結果や気づき，新たな課題を記載し，マップが完成する。

(b) 周辺マス

中央マスを中心に，左右に放射状に伸びるマスは，中央マス中を中心に関連する情報を記載する。中央マスに近いマスには，極力キーワードで記述し，隣接する「細部マス」に具体的な内容を記す。基本マップには，左右5項目ずつの計10項目を用意しているが，作成者の必要に応じて，適宜，項目の増減は可能となる。

(c) 枠に収まらない情報の記載（余白）

周辺マスに収まらない内容や中央マスには直接関わらないものの，補足として，必要がある情報については，マップの周辺にある余白に記載する。

(d) ブレインストーミング・なぜなぜ分析

全ての項目が埋められたマップを基に，個人ならびにグループにおいて，中央マスから周辺マスを振り返り，なぜなぜ分析を通じてブレインストーミングを実施する。「なぜなぜ」を繰り返し，思考の水準を上げていくことにより，新たな発想や課題が生まれ，テーマを更新しながら新たなブレインマップの作成に移る。この行動を繰り返すことにより，「大・中・小」理論のような各回のシートが層化（レイヤー化）され，思考のツリー構造が完成していく。さらに，シートが展開する状況を時系列で理解することができるため，最新のアイデアに何らかの実現可能性に問題があれば，過去のアイデア（過去のブレインマップ）に立ち戻って再試行することが可能である。

(e) 補足事項

本マップは，本来，脳内に保存される情報を「一枚」に可視化することにより，発想や課題解決，情報整理に活かそうとするものである。そのため，各項目への記載方法は，文字のみの制約はなく，挿絵や色分け等，適宜使用することが可能となる。

また，マップの応用として基本的な構造に従い，明らかにしたい内容に応じて，マップを改良することも可能である。

図表Ⅱ-8　ブレインマップの基本構造

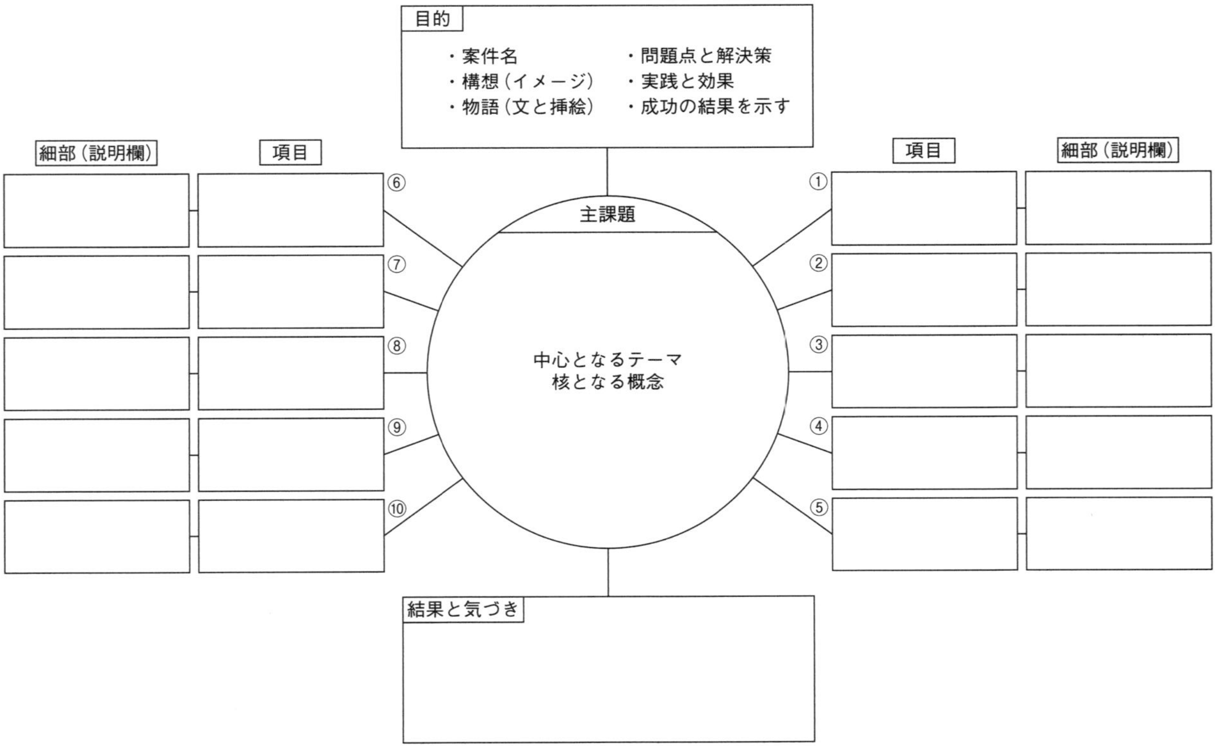

（出所）受講者の資料をもとに境新一，谷真哉，榎本正がブレインマップの基本構造の策定にあたった。

(f) 主な活用方法

代表的な活用方法は，以下の３つの類型となる。

①発想集約型：問題解決，アイデア発想，事業計画

②情報整理型：情報整理，思考整理，読書ノート

③教唆・気付き型：コーチング

(2) ブレインマップの応用

ここまで，ブレインマップの基本構造や使用法を説明してきたが，ブレインマップは，定位置化された単純な枠組みにより，あらかじめ「中央マス」または「周辺マス」の項目を設定したマップを作成することや他の整理法をブレインマップに当てはめることなど，作成者の目的に応じて，様々な応用が可能となる。ここでは，「情報整理型」ならびに「発想集約型」のブレインマップを応用した作成手順を紹介する。

そもそもブレインマップは，マップの作成がゴールではなく，作成したマップを通じて作成者の思考やイメージを喚起し，作成者が次の行動に移行することを促すことが主な目的である。ここでは，畑村洋太郎氏を中心とする失敗学会が提唱する３つの失敗まんだら（失敗学会）のうち，原因まんだらに基づいた①「課題の発見」のブレインマップ，課題に関する情報整理を通じて，アイデア発想につなげることを目的とした②「発想の種まき」のブレインマップ，具体的な行動計画に移行するため 6W2H の視点から課題解決に向けた物語の構築を目指しマップを作成する③「課題解決に向けた計画の策定」のブレインマップ，以上３つのマップを通じて新たな価値創造を目指す具体的な手順を紹介する（図表Ⅱ-9）。

(a) 課題の発見

新たな価値創造を目指すブレインマップの最初の段階にあたる「課題の発見」は，日頃から抱える様々な課題や新たな問題意識から得られたテーマに基づき，可能な限り課題を洗い出し，整理することを目的としている。

そこで，ブレインマップに援用したフレームワークが，失敗の構成要素を洗

図表Ⅱ－9　ブレインマップを使用した価値創造フロー

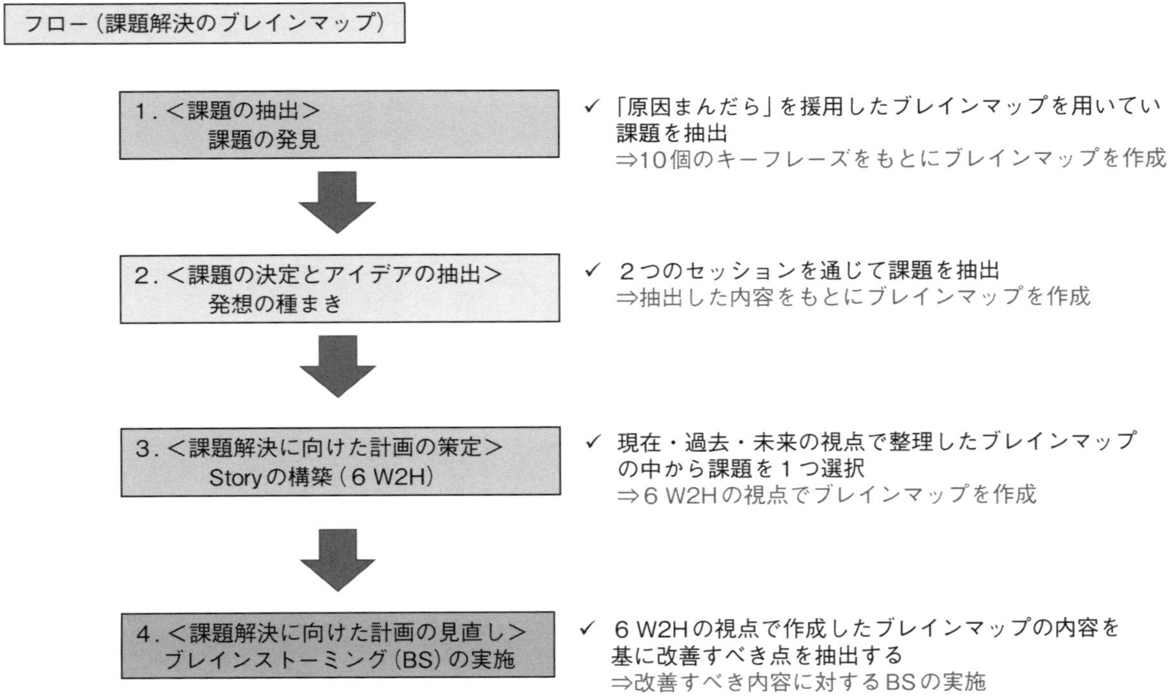

フロー（課題解決のブレインマップ）

1．<課題の抽出>
課題の発見

✓「原因まんだら」を援用したブレインマップを用いてい課題を抽出
⇒10個のキーフレーズをもとにブレインマップを作成

2．<課題の決定とアイデアの抽出>
発想の種まき

✓ ２つのセッションを通じて課題を抽出
⇒抽出した内容をもとにブレインマップを作成

3．<課題解決に向けた計画の策定>
Storyの構築（6 W2H）

✓ 現在・過去・未来の視点で整理したブレインマップの中から課題を１つ選択
⇒6 W2Hの視点でブレインマップを作成

4．<課題解決に向けた計画の見直し>
ブレインストーミング（BS）の実施

✓ 6 W2Hの視点で作成したブレインマップの内容を基に改善すべき点を抽出する
⇒改善すべき内容に対するBSの実施

（出所）ブレインマップの応用事例として，境新一，谷真哉が作成したフロー図。

い出し，要素の階層性を円環に表現した「失敗まんだら」である。特に，失敗学会が提唱する3つの失敗まんだら（原因・行動・結果）のうち，原因まんだらは，根幹をなす10個のキーフレーズを中心に，「個人に起因する原因」「個人・組織のいずれの責任にもできない原因」「組織に起因する原因」「誰の責任でもない原因」の4つの領域に分け，網羅的に一覧性をもって失敗原因の構成要素と関連を整理することを行っており，ブレインマップを通した課題の洗い出しと整理に適した内容であると考えた。以下に具体的な使用方法と手順を紹介する（図表Ⅱ-9）。

①「課題の発見」ブレインマップの用意

はじめに，「周辺マス」の項目に原因まんだらの「個人に起因する原因」「個人・組織のいずれの責任にもできない原因」「組織に起因する原因」「誰の責任でもない原因」の4つの領域に分けた10個のキーフレーズを事前に付したブレインマップを用意する。

〈個人に起因する原因（個人の要因）〉

（ⅰ）無知（知識や能力の不足・知らなかった）

：世の中に知られている予防策，解決法を本人が知らなかったことが原因。

（ⅱ）不注意（注意不足）

：十分に注意さえしていれば防げたことが原因。

（ⅲ）手順の不遵守（ルールを守らなかった）

：約束事や習慣・ルールを守らないことが原因。

（ⅳ）誤判断（判断を誤っていた）

：狭い視野・誤った理解など，状況を正しく捉えられないことが原因。

（ⅴ）調査・検討の不足（チェックや検討の不足）

：事前調査・事前の検討・シミュレーションなどの不足が原因。

〈個人・組織のいずれの責任にもできない原因（外的要因）〉

（ⅵ）環境変化への対応不良（環境変化への対応不足）

：当初想定していた条件が時間の経過とともに変化し対応できなかったことが原因。

〈組織に起因する原因（組織の要因）〉

（vii）計画不良（計画の不足）

：企画や計画・組織構成など，事前の段階から問題があることによる原因。

（viii）価値観不良（外部との価値観のズレ）

：旧態依然とした組織に固執し，ダイバーシティへの適応など異文化との価値観の違いから生じる原因

（ix）組織運営不良（古い体質の組織運営・組織形態・人員の問題）

：組織運営の硬直化・管理の不良・チームの不良による原因。

〈誰の責任でもない原因（未知要因）〉

（x）未知（想定できなかった）

：世の中の誰もが想定していなかった事象の発生が原因。

②テーマの決定

「課題の発見」ブレインマップが用意できた後，ここからは，ブレインマップの基本的な作業手順に沿って実施する。

・「中央マスの上」

マップ全体に関わる内容として，現在，作成者が感じる課題や問題意識に基づく，具体的な事象，本来予定していた計画ならびに結果をイメージしながら記載する。

・「中央マスの中」

中央マスの上に基づき，作成者が感じる課題や問題意識の中核をなす概念やテーマを記載する。

③課題の整理

・「周辺マス」

中央マスに記載した内容に基づき，周辺マスにあらかじめ付された10個のキーフレーズに答える形で，隣接するマスに具体的な内容を記載する。

図表Ⅱ-10 「課題の発見」のブレインマップに関する概要図

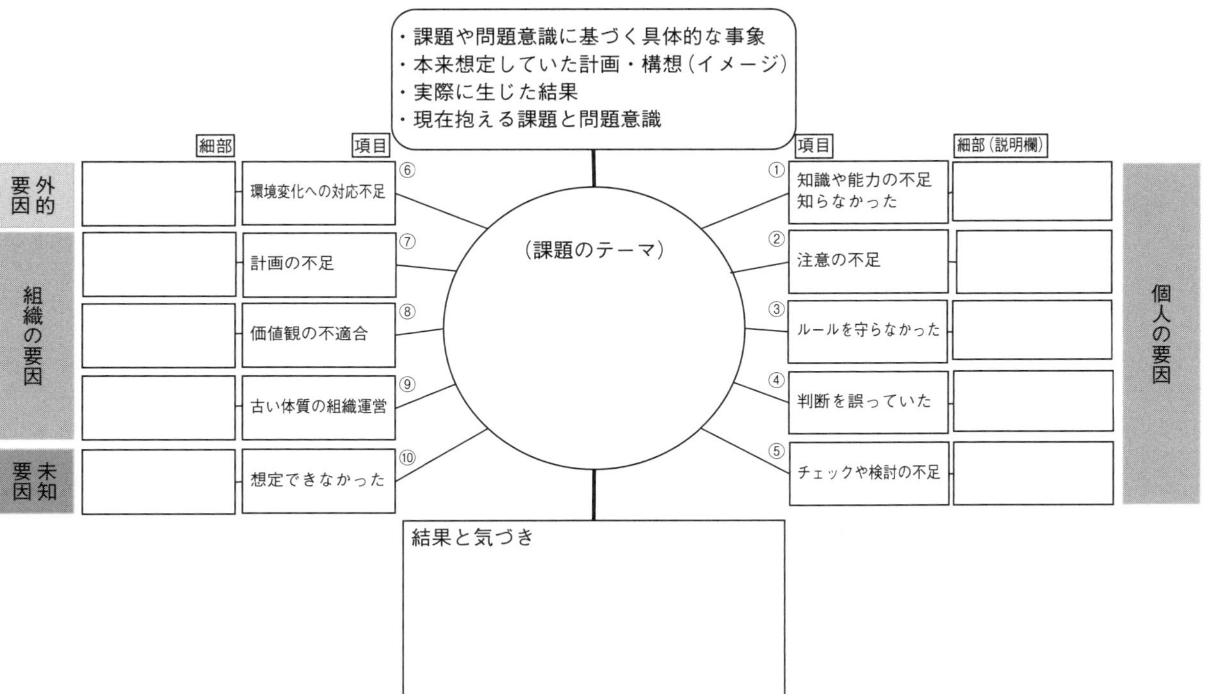

（出所）ブレインマップの基本図をもとに境新一，谷真哉によって失敗学会が提唱する「失敗まんだら（原因まんだら）」を当てはめ，改良し作成した概要図である。
尚，各項目の内容は，作成者が取組みやすいよう，平易な内容に修正を加えている。

④課題の発見

・「中央マスの下」

中央マス下を除く全てのマスが埋められた後，マップ全体を俯瞰しながら，中央マスから周辺マスを振り返り，なぜなぜ分析を繰り返しながら得られた結果や気づきを記載し，マップ全体が完成する。

(b) 発想の種まき

次の段階にあたる「発想の種まき」は，「課題の発見」で得られた課題に基づき，自由な素人発想でアイデアを考え，発想の種を抽出することを目的としている。この発想の種まきは，「課題の選定」「課題に対するアイデアの発想」，「課題の整理」，「アイデアの仕分け」の4つのセッションを経て，マップが作成される（図表Ⅱ-11）。

①セッション1「課題の選定」（図表Ⅱ-12）

ここでは，特に重要な課題や問題意識を選定することが目的となる。ワークシート（図表Ⅱ-14）の左側を利用し，事前に作成した「課題の発見」のブレインマップに基づき，現在，自身（自社）が特に重要だと感じる課題を書き出していく。次に，他者（他社）と比較した際に感じる課題をできるだけ多く書き出す。

また，ワークショップ等で実施する場合は，作業時間5分，見直し時間5分といった時間の制約を設けてもよい。

②セッション2「課題に対するアイデア発想」（図表Ⅱ-12）

次に，ワークシートの右側に左側に記述した課題を基に，制約のない自由な素人発想で，課題に対するアイデアをできるだけ多く，できるだけ具体的に書き出す。

③セッション3「課題の整理」（図表Ⅱ-13）

課題とアイデアが対になったシートが作成できた後，改めて左側の課題の欄に着目し，類似したテーマや分野がないかを確認する。類似した内容がみつかれば，「共通点Check」の欄に，○・△・×といった記号を適宜利用し，類似していることを一目でわかるようにチェックを入れる。

④セッション4「アイデアの仕分け」（図表Ⅱ-13）

課題の欄の整理を行った後，次に，改めて右側のアイデアの欄に目を通し，現状の自身（自社）の状況を振り返り，能力や資源が揃っているため「すぐにできること」であるか，技術の不足や他者（他社）の資源が必要であるため「すぐにできないこと」であるかについてチェックを入れる（図表Ⅱ-14)。

ここで，グループワークで実施する場合には，個人で実施したシートを基に，グループ内で話し合い，まとめた内容をグループ用のワークシート（図表Ⅱ-15）に記述することも可能である。

⑤マップへの転記

最後に，セッション1から4を通じて作成したワークシートを基に，マップ（図表Ⅱ-16）に転記する。今回は，自らが持つ課題や問題意識の洗い出しを目的としているため，あらかじめ「中央マスの上」には，課題やアイデアの視覚化を目的に，「中心マスの中」には核となるテーマとして，課題の抽出を設定している。しかし，作成者がマップを作成する際に，全体をイメージしやすい具体的な内容を「中心マスの上」ならびに「中心マスの中」に記述したい場合は，適宜記載内容を変えてよい。

次に，実際にワークシートの内容をマップに転記する。「課題の整理」（セッション3）で行った「共通点Check」による同じ記号に留意し，「アイデアの仕分け」（セッション4）で行った「すぐにできること」を右側に，「すぐにできないこと」を左側に転記する。

最後に，個人またはグループ内で，マップ全体を俯瞰しブレインストーミング・なぜなぜ分析を実施し，得られた気づきや新たな課題を「中央マスの下」に記述しマップは完成する。

図表Ⅱ－11　「発想の種まき」の作成フロー

発想の種まき

様々な課題の中から，特に重要な課題を選定し，自由な素人発想でアイデアを考える。その上で，ブレインマップを用いて整理すれば，発想の種が生まれる。

セッション1　課題の選定	✓ 自身が認識する課題と他者と比較した時に生じる課題を洗い出し選定する。
セッション2　課題に対するアイデア	✓ セッション1で出した課題に対するアイデアを考える。
セッション3　課題の整理	✓ セッション1で抽出した課題について，共通する課題ごとにまとめることにより，発散した思考を収束させ，発想の連鎖を促す。
セッション4　アイデアの仕分け	✓ セッション2で抽出したアイデアについて，自身（自社）の能力（資源）を用いてすぐに，できる事とできない事に仕分けする。

ブレインマップへ転記

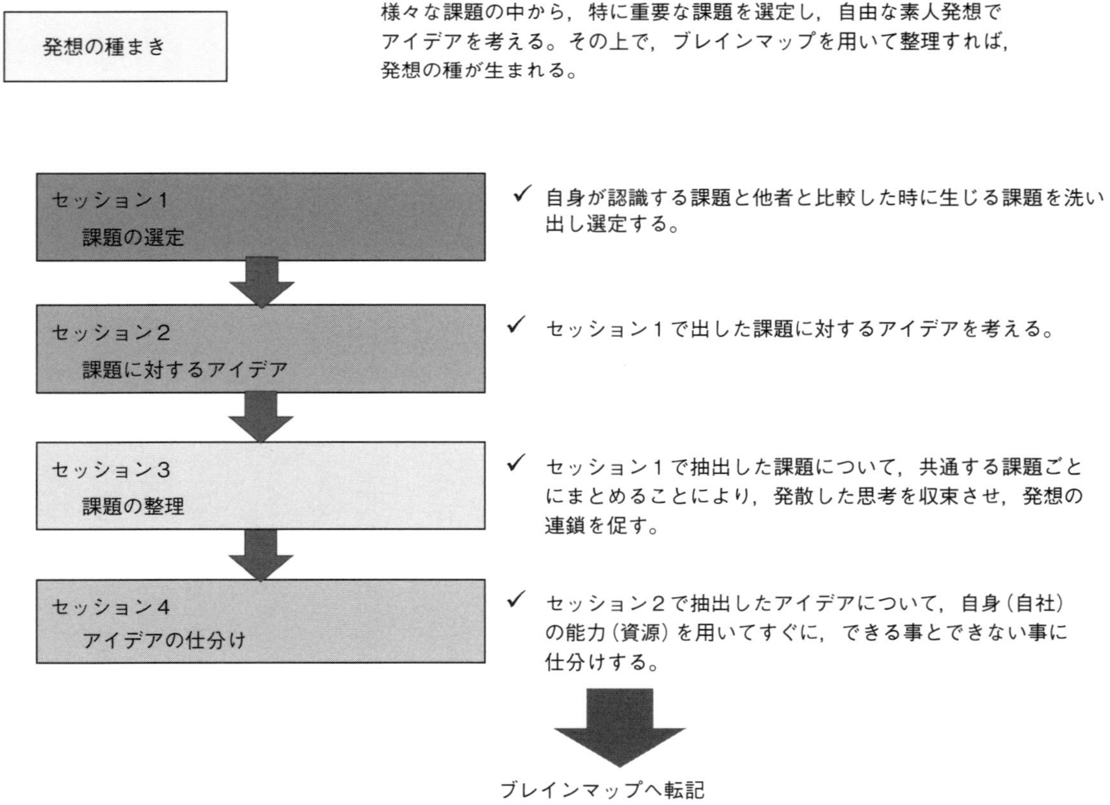

（出所）ブレインマップの応用事例「発想の種まき」の作成フロー図として，境新一，谷真哉が作成。

図表Ⅱ－12 「発想の種まき」に関するセッション1・2のフロー図

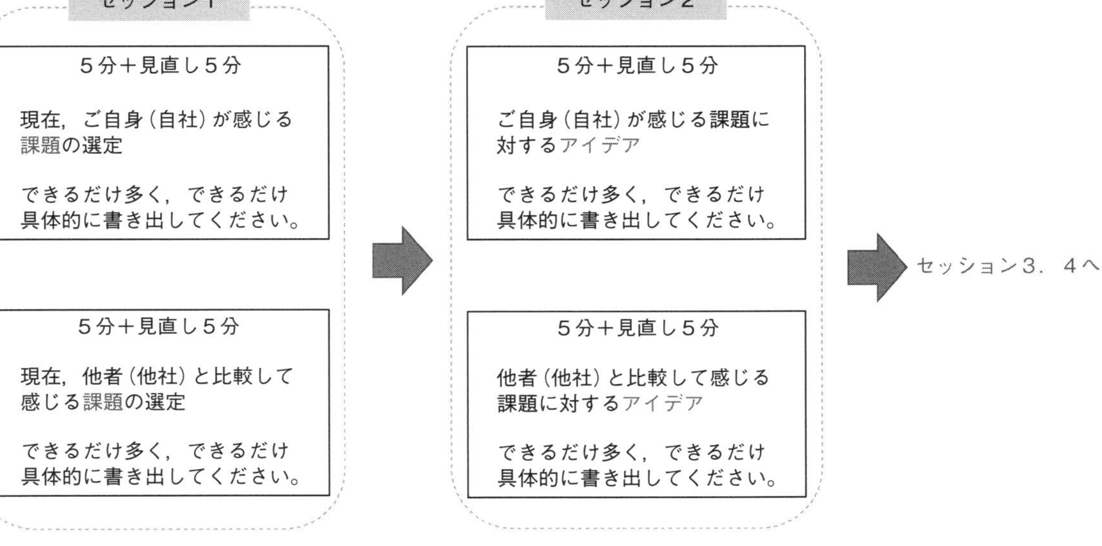

（出所）ブレインマップの応用事例「発想の種まき」のセッションの例として，境新一，谷真哉が作成。

図表Ⅱ-13 「発想の種まき」に関するセッション3・4のフロー図

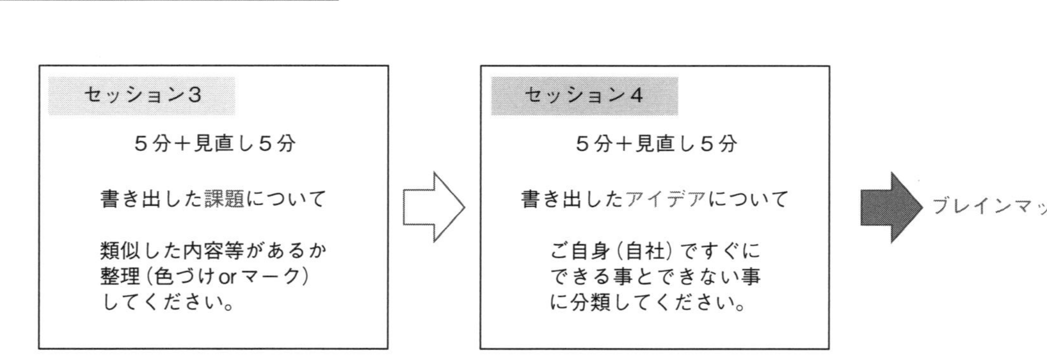

（出所）前掲注。

図表Ⅱ－14 「発想の種まき」に関するワークシート（個人用）

テーマ

現在，ご自身（自社）が認識する課題をできる限りお書きください。		現在，ご自身（自社）が認識する課題に対するアイデアをできる限りお書きください。
（課題） 共通点check （　　）	→	（アイデア） すぐにできること or すぐにできないこと
（課題） 共通点check （　　）	→	（アイデア） すぐにできること or すぐにできないこと
（課題） 共通点check （　　）	→	（アイデア） すぐにできること or すぐにできないこと
（課題） 共通点check （　　）	→	（アイデア） すぐにできること or すぐにできないこと
（課題） 共通点check （　　）	→	（アイデア） すぐにできること or すぐにできないこと
（課題） 共通点check （　　）	→	（アイデア） すぐにできること or すぐにできないこと

図表Ⅱ－15　「発想の種まき」に関するワークシート（グループ用）

テーマ

グループディスカッションで出た課題をできる限りお書きください。		グループディスカッションで出た課題に対するアイデアをできる限りお書きください。
（課題）		（アイデア）
共通点check	→	すぐにできること
（　　）		or
		すぐにできないこと
（課題）		（アイデア）
共通点check	→	すぐにできること
（　　）		or
		すぐにできないこと
（課題）		（アイデア）
共通点check	→	すぐにできること
（　　）		or
		すぐにできないこと
（課題）		（アイデア）
共通点check	→	すぐにできること
（　　）		or
		すぐにできないこと
（課題）		（アイデア）
共通点check	→	すぐにできること
（　　）		or
		すぐにできないこと
（課題）		（アイデア）
共通点check	→	すぐにできること
（　　）		or
		すぐにできないこと

図表Ⅱ－16　「発想の種まき」に関するブレインマップの概要図

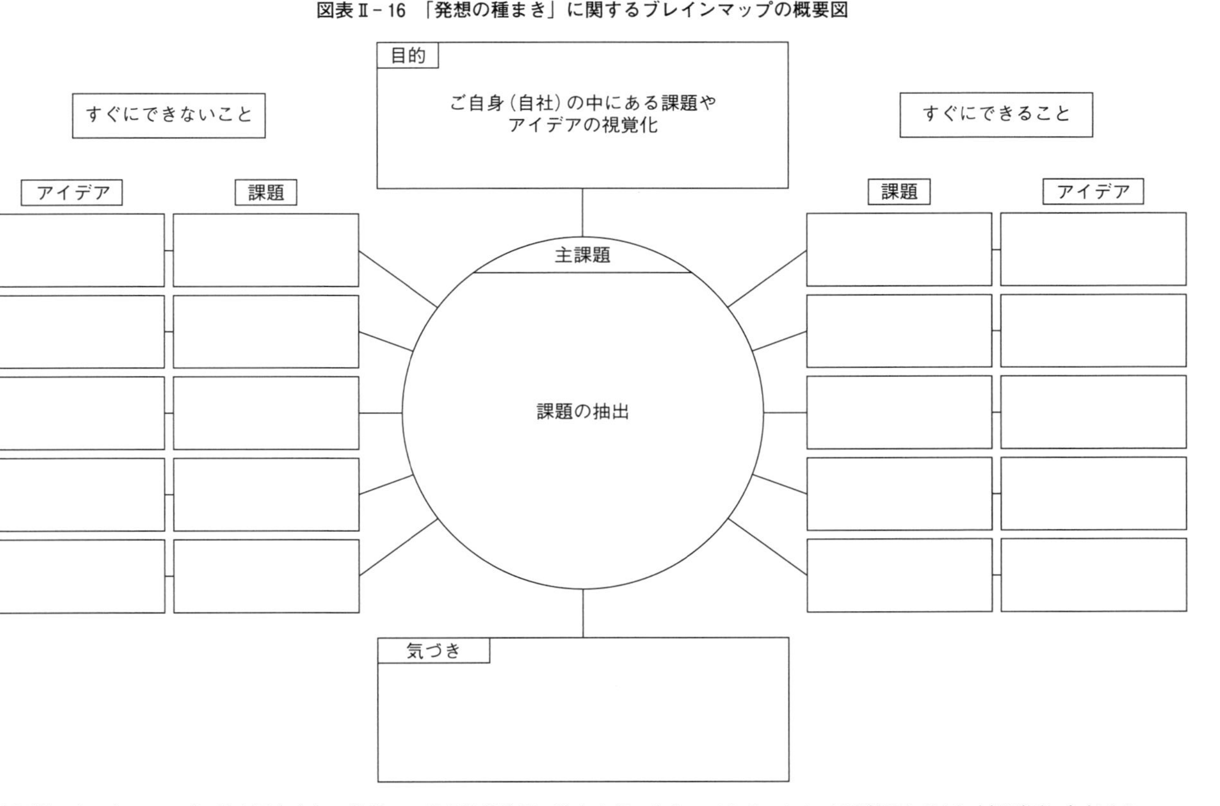

（出所）ブレインマップの基本図をもとに境新一，谷真哉が修正・改良を行ったものである。ここでは詳細図ではなく概要図にとどめる。

(c) 6W2Hの視点による課題解決に向けた計画の策定

ここまで,「課題の発見」による課題抽出を行い，その課題に基づき「発想の種まき」を通じて自由な素人発想から課題の整理ならびに課題に対するアイデア発想を実施してきた。しかし，実際に課題解決に向けた計画を策定する際に，全ての課題に臨むことは難しい。

そのため,「発想の種まき」(図表Ⅱ-16）の中から，1つの課題・アイデアを選択し，境（2017）が事業計画の構成要素として提唱する「6W2H」を付したマップ（図表Ⅱ-17）を利用し計画を策定していく。

以下に具体的な使用方法と手順を紹介する。

①「課題解決に向けた計画の策定」ブレインマップの用意

はじめに,「中心マスの上」には，作成時の目的,「周辺マス」には6W2Hに即した「企画を行う趣旨・理由（Why)」「対象となる業界・市場（Where)」「対象となる競合者（Whom)」「対象となる顧客（Whom)」「人・モノ・カネを投入する時期（When)」「人材の確保（Who)」「宣伝・広報の方法（How to)」「必要となる資金（How much)」の内容を記す。Whomについては，競合者と顧客は，対象者としての意味合いが大きく異なるが，どちらも計画を策定する際に不可欠な要素となるため，2つの項目を置いている。

②テーマの決定

「発想の種まき」(図表Ⅱ-16）の中から，なぜなぜ分析を通じて得られた作成者にとって最も優先度の高い課題・アイデアを選択し選らんだ課題・アイデアに応じて，取り組むべきテーマを「中央マスの中（What)」(図表Ⅱ-17）に記述する。

③事業計画策定の要素の記述

次に，中央マスの中のテーマに基づき，事前に「周辺マス」に記載した6W2Hの内容に答える形で，隣接する項目に具体的な内容を記す。

図表Ⅱ－17 「課題解決に向けた計画の策定（6W2H）」に関するブレインマップ概要図

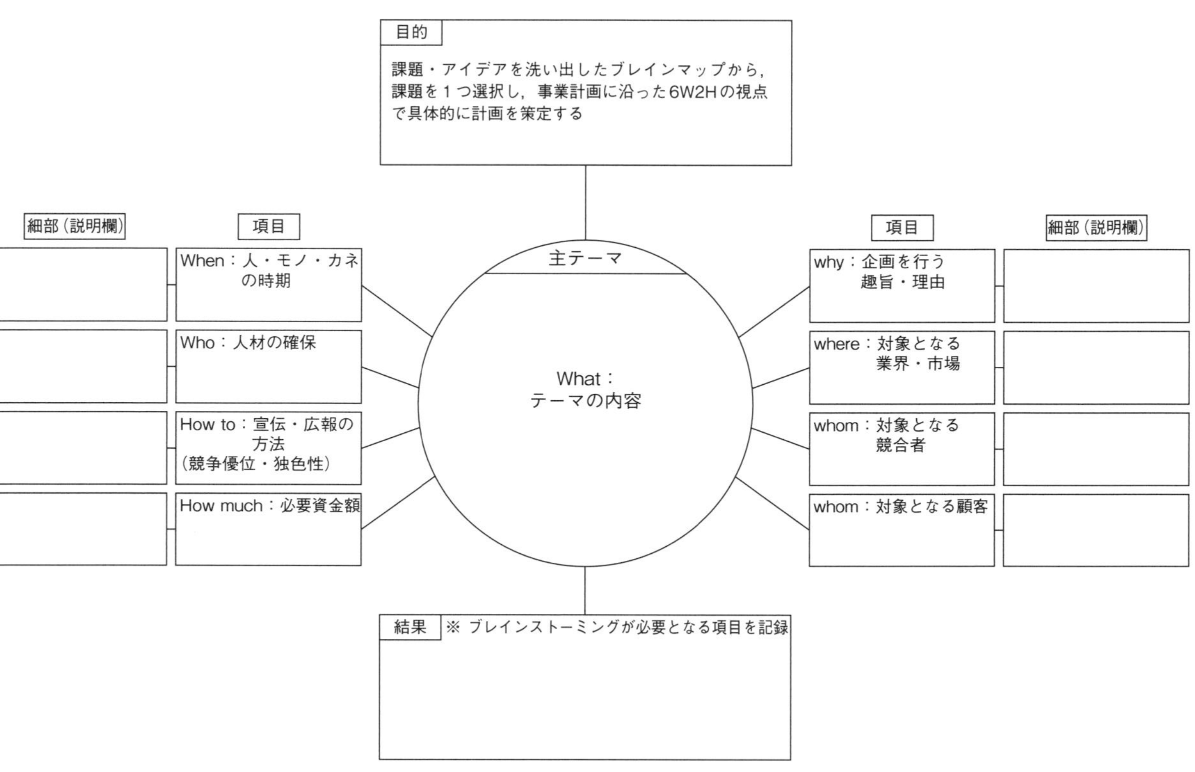

（出所）前掲注。

④事業計画の確認

最後に，周辺マス全ての項目を検討後，マップ全体を俯瞰し，ブレインストーミング・なぜなぜ分析を通じて，課題解決に至る過程で，不足する項目，着手すべき優先順位を検討し，結果を「中央マスの下」に記述し，本マップは完成する。その上で，策定した計画を基に，実際の行動へと移行する。

(d) 課題解決に向けた計画の見直し

実務の世界では，必ずしも計画通りに実行できるわけではなく，さらに世の中の動きや環境の変化に応じて，適宜計画の修正や見直しを迫られる。

その点においてブレインマップは，前後のマップと層の関係（レイヤー）を形成しているため，必要に応じて前の段階に立ち戻ることが容易にできることが大きな利点である。

例えば，「6W2H」のマップで課題解決に行き詰った場合は，「発想の種まき」のマップならびに「課題の発見」のマップに立ち戻り次の優先順位に位置づけられた課題・アイデアに着手することが可能となる。検討する際には，こちらもブレインストーミング・なぜなぜ分析を実施することが特に有用である。

(3) ブレインマップ作成に関する留意点

ここまで，ブレインマップの基本構造ならびに使用方法，目的に応じた応用例についてみてきた。今回，ブレインマップの応用例として新たな価値創造を目指す手順を紹介したが，必ずしもこの手順にのっとる必要はなく，あくまで作成者の目的に応じて，３つのマップ（「課題の発見」「発想の種まき」「課題解決に向けた計画の策定」）個別に使用することや順番を入れ替えること，基本構造のブレインマップを間に使用すること，他の思考法を基に新たなマップを組み入れることなど，レゴブロックのように自由に組み替えることもブレインマップの特徴といえる。

しかし，重要なことは，複数のブレインマップを作成しレイヤー化（層化）された際に，前の層，さらに前の層にさかのぼることを通じて，行きつ戻りつを繰り返しながら修正を加え，イメージ力を喚起することである。

(4)　ブレインストーミング，KJ 法，マインドマップ，デザイン思考との比較と違い

第一に，ブレインストーミングは自由な発想とアイデア量を重視するが，その質や実行可能性を考慮しない。第二に，KJ 法は分類と論理，因果を重視するが，斬新な発想が登場するか否かは結果次第である。第三に，マインドマップでは，必ず中央に図・イラストとテーマを置き，色ペンも使用して連想される事項をその周辺に広げて記述し，頭脳の活性化を促する。ただし，これも実行可能性を問わない。最後にデザイン思考は，自由な発想と実行可能性の論理を組み合わせ，革新的で実現できる発想論理融合型である。

これに対して，ブレインマップでは，言葉も図イラストも使用でき，中央前・中・後と順に目標・テーマ・気づきと配置して記述する。事業創造，情報整理，コーチングなどの目的にあわせて，5W1H や 6W2H の要件にしたがって物語を構成するように記述する。また，個人・グループでブレインマップを複数回再作成して進化・深化することにより，ブレインマップがレイヤー化（層化）され，最終的に１つの案を意思決定し選択・実行した後も，実行案を前後に変更することが可能である。実装力をもった発想論理融合型の発想法といえる。

(5)　ブレインマップと原点回帰

(a) 原点回帰をするプロセス

原点回帰をするプロセスには，「現状の分析」「人材の活用」「目標の明確化である。

・現状の分析

原点回帰とは，今まで積み上げてきたものを全て棄却し，一からやり直す，ということと同じではない。活かせる部分は残し，今日必要ない余分なもの捨て，最初のテーマに戻ることが重要である。そのために，現状分析が必要である。原点に戻るには，優先順位をつけ，必要なものを残し，不要なものを削る。

・人材の活用

原点回帰をするために必要な人材，人との繋がりを持続する必要がある。培った人脈の中で，本来目指していたものを実現する，最初に存在しなかった仲間の力を得て進むことが大切である。

・目標の明確化

原点回帰の基本は，最初の目標に立ち戻ることである。目標を明確にすることにより，すべきこと明らかとなる。目標へ向かうプロセスがわかれば，直ちに実行する。これまでの自信を胸にして進む。

(b) ブレインマップによる原点回帰

「原点回帰」とは，物事の出発点に立ち戻ることであり，物事に行き詰まった際に，マインド・リセットに有効な方法である。「初心に戻る」「基本に帰る」という言葉でも表現できる。人が最初に物事を手掛けたとき，スタート（原点）は必ず存在する。原点回帰をすることによって，自分の心と頭の障壁／壁を超え，目標が再び明確に見えるようになり，モチベーションも上がる。仕事が行き詰まったときには，解決策を積み上げていくだけでは根本的な問題は解決できない場合がある。

課題とアイデアの整理，実現できることとできないこと，現在・過去・未来の思考から再び現在なすべきことの確認，6W2H による物語化は，原点回帰の要件といえる。

(6)　要因の構造化，体系の可視化，アイデアの軌道修正

ブレインマップの体系には，当初から独自に思考，創造した後に，様々な既出の学問ならびにビジネス実務の成果の裏付けとの整合性や接点が確認できたことによって，改めて体系に明記した内容も少なくない。まず，畑村洋太郎氏が失敗学で提示した示唆がその１つである。畑村氏は，失敗の構造を分析し，構造化するとともに，その要因間の関係を明らかにし，失敗まんだらに可視化すること，失敗を繰り返さずに必ず成功への転換を図る提案をしている（畑村2005a）。第３部の実践編でも言及されるように，失敗の構造分析とブレイン

マップの手法は親和性が高い。

次に，エリック・リース氏（Eric Ries）がリーン・スタートアップで明記した手法である。リース氏は無駄のない（リーンな），効率的なアイデアの軌道修正ならびに短期間で意思決定を行うことの必要性である。リーン・スタートアップでは，彼独自の手法としてリーン・スタートアップを構成する要件として，リースは次の3点をあげている。(a) pivot　ピボット：方向転換　(b) MVP Minimum Viable Product，(c) Lean Canvas リーンキャンバス　である。いずれも効率的なアイデアの軌道修正ならびに短期間で意思決定に関わることである（リース 2012）。

アイデアは最後に登場したものが最高・最適とは限らず，実行の途中でも採用したアイデアを変える必要も生じる。こうした時，改めて新たなアイデアを1から構築し直すのではなく，ここまで時系列に蓄積（層化・レイヤー化）してきた様々な代替案について再度，比較検討することを通して，より円滑で柔軟な軌道修正を図れるのである。

(7)　感性と論理の調和／アイデアの実現可能性

感性と論理はともに重要な要素であるが，その調和が常に課題となる。三谷や出原の考え方のなかで登場した，拡げる／絞る，つなげる／けずる　はこの対置をよく表している。素人発想で先入観をもたずに自由にできるだけ多くアイデアを出す。発想の展開・拡大には様々な人的，物的なネットワークが必要である。

しかし，一方で発想したものの全てが実現できるわけではない。アイデアの実現可能性は論理と深く結びつく。今度は玄人実行・実装によって，徹底して論理的にアイデアの実現可能性を検討し，多くのアイデアの選択肢のなかから実現可能性の高いものが1つ選択・決定される。1つの選択の決定はまさに意思決定の行為である。ここで留意すべきは，実現可能性を評価する基準を，対象となる業界・分野（製品，サービスの内容）によって異なり，1つの絶対的な基準の設定が難しいことである。したがって，実現可能性の評価基準は時代，環境，業界・分野に即して個別に検討し，設定する必要がある。

以上述べた，ネットワークと意思決定はプロデュースの要件，その一部ともなっている。

ブレインマップは発想，アイデア出しを基本としながらも，時系列でレイヤー化（層化）したアイデアは前後に比較が可能である。一般に，後から発想されたものの方が先に発想されたものより優れている，とは必ずしもいえない。こうしたなかで自由に発想した様々なアイデアのなかから論理的に1つのアイデア／計画が選択・決定され，実行されるのである。

失敗を分析に終わらせずに，積極的にポジティブに受け止め，それを基点として物語創造を行い，実行・実装につなげること，実現することが重要であり，ブレインマップの果たす役割ということになる。

(8)　バックキャスティング機能の深化と今後の展開

従来，経営者の思考や意思決定の手法を探り，失敗から成功への転換を促す発想と形式知化に関する試行錯誤を重ねてきた。その結果，ブレインマップは，情報／論点を一目で理解できる一覧性と原点回帰，代替案の蓄積・レイヤー化，物語構築の機能を備えてきた。

今後，ブレインマップには未来から現在へのバックキャスティング機能を一層深化させたい。バックキャスティングとは，未来のある時点に目標を設定しておき，そこから振り返って現在すべきことを考える方法であり，その目標設定の水準こそが重要となる。

そして，最新のICTとの親和性を備えたアプリとの連携やAR・VRを用いた完全ペーパーレス化，AIを用いた対話形式への展開など試行錯誤を通して，常に世の中の要請に応えられるような発想ツールに進化させることを目指すこととしたい。

第Ⅲ部

ブレインマップの実践

1. 予測不可能な時代における新事業創造の必要性とブレインマップの意義

今般の新型コロナウィルスによるパンデミックは，過去の金融危機や自然災害等とは，比較にならないほどの多大な影響を及ぼし，世界に共通の課題をもたらした。このような課題は，日々慣れ親しんできた行動や生活様式を一瞬のうちに変えただけでなく，課題の大きさに比例して，求められる変革や進化のスピードはより一層加速している。そのため，このような変動性，不確実性，非連続性，複雑性，曖昧性が進む予測不可能な時代においては，今後ますます，あらゆる方向から知恵を集め，スピード感をもって対処できるような発想や思考が必要となる。

これまで，新事業創造の実現に至る要件として，経営学や社会学の領域を中心に，先人たちの知見に基づく「新事業創造の基礎」（第Ⅰ部）や様々な発想法・整理法を体系的に捉えた「発想法」（第Ⅱ部）について触れてきた。その上で，さらに，真の課題発見やアイデア発想に貢献するため，新たなフレームワークとしてブレインマップの提案を行った。

ここで，改めて，新事業創造における着眼点とブレインマップの要点に関する内容を中心に振り返り，ブレインマップを実際に使用した実例の紹介へと移ることとする。

はじめに，第Ⅰ部では，今日の社会変動や技術革新にともなう社会や生活様式の変化を整理した上で，新事業創造の核となるアイデア創出や課題解決に関する内容を３つの視点で紹介した。

第一に「アイデア創出，課題解決の根底にあたる視点」では，大きな課題に直面した今日こそ，原点回帰の重要性や失敗から成功を得ることの必要性が高まることを述べた。変革を求め，新規事業に着手することもよいが，事業の根拠となる技術，起源となる技術は何かを明らかし，さらに，過去の失敗から生まれた課題と正面から向き合いながら，現在の認識と実際の事業アイデアとの間に（抽象と具象の間に）乖離がないかを明確化する必要がある。言いかえれば，① 誰にとって，② いかなる課題を，③ どのように解決し，④ いかなる価値を提供するかを意識することが肝要である。そのため，原点回帰のプロセスに位置づけられる「現状の分析」と「目標の明確化」，失敗から成功を生み出すための「失敗知識の構造化」の重要性がより増してくる。しかし，現状を把握し，目標設定しただけでは，あくまで計画の土台を作ったにすぎず，行動につなげる過程が新たに必要となる。現在から，過去の原点を振り返り，未来の目標へと思考するうえで，一連の流れをイメージし物語化した内容に基づき，全体を俯瞰したストーリーテラーとなることが求められる。そして，ストーリーテラーは，利益を起点とするビジネスと他者への感動・価値創造を起点とするアートの両面のプロデュース力が重要となる。このことは，自由な競争とは，他者への共感の上で成り立つとするアダム・スミスの考え方や渋沢栄一氏の「道徳を伴った利益の追求」に相通じるものでもある。そして，新たな課題に直面した際には，リーン・スタートアップのようなアイデアの軌道修正を適宜実施しながらゴールを目指す思考と行動が大切になる。

第二に，「経営学を中心とした視点」について，主に経営学の中でも戦略論の内容を中心に紹介した。時代の変化に応じて，アメリカを中心に様々な成長戦略に関する理論が提示され，実践されてきた。新規事業や新市場への展開は，言うまでもなく今日まで続く命題となっている。ビジネスの多角化を検討することを念頭においたアンゾフ理論の場合，4象限のマトリクスを通じて，4つのオプションを導き出し，企業がどの方向に戦略の舵を切るべきか検討する際に意思決定する一助を提供している。一方で，オライリーとタッシュマンが提示する両利きの経営は，既存事業の強化と新規事業の開拓を並行して行う「探索と深化」の重要性を説いている。特に，コロナ禍のような大きな環境変化は，製品・サービスのニーズも激しく変動するため，予測も非常に困難となる。そのため，既存か新規かの二者択一ではなく，企業には「転身」を積極的に狙いながら，既存事業の収益も確保するという両輪が求められる。このような企業変革には，ティースが示すダイナミック・ケイパビリティのような感知・捕捉・変容を伴った自己を変革する能力（資源）を見出し，再構成（オーケストレーション）することから新たな価値創造へとつながる。そして，コッターが示す8つの「つまずきの石」のような企業内部（組織）の問題を乗り越えることができれば，大きな変革を推進する原動力となる。

第三の「経営哲学からの視点」について，学者，企業家，企業経営者など様々な人物の哲学を紹介した。特に共通した点は，「失敗に学ぶ」ということである。日立製作所の馬場粂雄氏は，「落穂拾い」と表現し，トヨタ自動車の大野耐一氏は，「五回の『なぜ』を自問自答する」ことを徹底した。多くの人が，自身の失敗や上手くいかないことから目を背けたくなる。しかし，自身の負の結果と正面から向き合った時に，新たな発見が得られる。

次に，第Ⅱ部では，従来の思考法や整理法を踏まえつつ，ブレインマップとの共通点や関連する内容を「発想展開型」「論理分離型」「発想論理融合型」の3つの観点から整理した。

第一に，「発想展開型」として，様々な思考法や発想法，整理法について紹介した。使用方法は，カードを使用したものや絵を描くもの等，使用目的に応じて千差万別である。しかし，中心となるテーマを設定し，膨大な情報をいかに整理するかという点においては共通している。さらに，整理する過程の中で，いかに脳内にあるイメージを広げ，連想し，その情報を視覚化した状態で俯瞰できるようにするかが重要なカギとなる。

第二の「論理分離型」として，アイデア創出だけでなく，課題解決に至るうえでの論理的な思考による整理を目的とした様々な考え方について紹介した。アイデア創出や課題解決の際に，共通して収集した情報や脳内に蓄積された情報を整理することが求められている。野口悠紀雄氏は，整理の目的について，スペースの確保と探し出せるようにすることの2つをあげている。人間の脳に置き換えれば，より分かりやすいのではないだろうか。多くの場合，人間が同時に考えられる情報には限りがあり，情報が多くなればなるほど，情報を取り入れる余地がなくなるだけでなく，新たに思考する余白をも失うこととなる。

しかし，脳に蓄積された情報をやみくもに整理しても，整理した情報を次の行動にいかに活かすかが新たな課題となり，次の行動への阻害要因となる。そのため，整理の目的が，真の課題の探索（なぜなぜ分析）か，とるべき戦略（SWOT分析）か，問題の原因を構成要素に分解して検討（ロジックツリー）したいのか，といったように，目的に応じた整理を行うことにより発想・思考の連鎖を展開することが可能となる。

第三の「発想論理融合型」について，第Ⅰ部でも触れたように，多くの学者，企業家，企業経営者などのアイデア創出に至るまでの核となる思想について紹介した。金出武雄氏は，発想について，「身の回りからヒントを得る」ことが大切であり，まずは否定せずにひとまず許容することが大切であると述べ，さらに，シナリオを作るにあたっては，「広く，大きく，自由に，楽しく考える」ことが重要であり，話が広がればより多くの人が参加できる余地が生まれるとしている。このような人の輪への拡がりについては，福永泰CONVERGENCE（共創・協創・融合）と表現し，イノベーションにつながる「協創」の重要性を説いている。まさに，三谷宏治氏の「拡げる」に適応しているといえる。しかし，アイデアを実行に移すためには，上記でも述べた具体化する段階に向かう必要がある。その過程を三谷氏は「絞る」と表現し，出原至道氏は「削る」と表現している。さらに，出原氏が示す「削った」ものをさらに「つなぐ」段階を経ることにより，継続的な思考のサイクルを生み出す結果へとつながることが期待される。

今回，私たちが提起するブレインマップは，上記に示した過去に先人たちがもたらした知見と相通じる点やブレインマップ独自の様式によって，今日の課題を乗り越えるための，新たなアイデア創出や課題解決に至るまでのプロセスがある。

2. 基本編

ここからは，ブレインマップの基本的な使用事例について紹介する。ブレインマップの基本は，すでに前掲（第Ⅱ部）しているように，目標や目的を記載する「中心マスの上」，主題にあたるテーマを記載する「中心マスの中」，中心マスを説明する「周辺マス」の項目と細部，そして，全ての内容を記して得られた結果や気づきを「中心マスの下」に記載する形式をとっている。

しかし，基本的な使用方法に則していれば，使い方は，作成者の自由な記述に委ねられる側面があるため，作成者の数だけ，使用事例が生まれるといえよう。

今回は，基本編として，課題に対するアイデア発想に活用した「発想集約型」，文書編集や読書ノートとして活用した「情報整理型」の事例を紹介する。

(1)　発想集約型

課題に対するアイデア発想への活用

はじめに，ブレインマップを通じて，課題に対するアイデア発想へと活用した事例を紹介する。課題解決を実施する上で，最初の一歩として，課題を正確に認識する必要がある。そのため，課題を洗い出す作業と課題に対するアイデア出しの作業は，別々に行うと良い。その上で，抽出された「課題」と，それに対する「アイデア」を併記し，目的達成に関する全体像を俯瞰できるようにすることが目的である。

本事例は，執筆者である境新一教授（教員）が，担当する授業内において，「若者と高齢者の孤立に関する問題」をテーマに設定し，ブレインマップを使用したものである。

（手順）

①ブレインマップ作成の事前準備

今回は，授業の一環として統一した課題に取り組んでもらうため，教員が用意した課題シートを経て，ブレインマップに記載する段階をとっている。（図表Ⅲ－1）

課題シート設問は，以下の内容となる。

〈1〉対象者を「若者（大学生）」と「高齢者（70歳超）」に絞って，以下の社会関係資本（ソーシャルキャピタル，人間関係）の問題を検討し，解決策を提示してください。

（1－1）若者は，「社会に一定の強いつながりを求め，弱い（緩やかな）つながりは希薄になっている。それにも拘わらず，個人は孤立し，孤独感を強める」

（1－2）高齢者は，「社会に一定のつながりを持てず，弱い（緩やかな）つながりが途切れた結果，孤立して孤独死に至る」

〈2〉若者と高齢者が抱える上記課題を地域（コミュニティ）のなかで両者をつなげることによって解決できないか検討し，解決策を提示してください。

②目標・目的の作成「中央マスの上」

課題シートの記載ができた後に，今回の目的として設定された「自身の課題やアイデアの視覚化」に基づき，課題とアイデアを俯瞰できるようなブレインマップの全体像をイメージする。

③中心となる概念の作成「中央マスの中」

全体のイメージが定まった後に，中心となるテーマを「中央マスの中」に記載する。

例にあげたブレインマップでは，「若者と高齢者が社会から孤立している」という内容を核となるテーマにあげている。その他の例にあげているように，必ずしも文字だけに限らず，図や表など，自身が中心となるテーマを最も表現しやすい方法で記載してよい。

④課題とアイデアの整理「周辺マス」

周辺マスには，「中央マスの中」に書かれたテーマに従い，課題シートに記載した内容を右側には，アイデアとして「すぐにできること」，左側には，「すぐにはできないこと」に分け，「課題」と「アイデア」を対にして記載していく。

⑤枠に収まらない情報の記載（余白）

今回，余白の記載はないが，周辺マスに関わる補足情報や挿絵等を入れておくのも良い。

⑥まとめ「中央マスの下」

全ての作業が終わった後に，今回の課題とアイデア出しを通じて得た「気づき」や「結果」を「中央マスの下」に記載する。

ここで，実際にブレインマップを実施した学生が「中央マスの下」「気づき」や「結果」を一部紹介する。

「“すぐにできること”の対策として考え方や気持ちを変えるというアイデアが多く，オリジナリティの乏しさを感じた。」
「つながり自体を生み出そうとするのは容易であるが，そのつながりを生み出す役割を誰が引き受けるのか大きな問題となる。」
「“すぐにできること”のほとんどは努力次第であるが，“すぐにできないこと”は大勢の協力が必要である。」
「アイデアの多くが，精神的なものになってしまった。若者と高齢者の課題が真逆なものが多かったため，年代を越えた若者と高齢者が一度に活動できる場をつくると，課題を解決することが多いように感じられた。」

⑦ブレインストーミング

最後に，ブレインマップ全体を俯瞰し，「中央マスの下」で得られた気づきや課題を基に，グループワークを実施し，他者との議論を踏まえ，さらに深掘りしならが，内容が深められた新たなブレインマップの作成へとつなげていく。

（ブレインマップ活用後の感想）

今回のブレインマップの使用例は，紙幅の関係で一部に留まっているが，紹介した事例のように作成できた学生が大多数であった。(図表Ⅲ-2)
最後に，今回のブレインマップの作成を通した学生の感想を紹介する。

「課題解決するアイデアが簡単に思いつくと思ったが，考えてみると障害が発生し，難しいと思った。」
「自分が考えるよりも問題の多さに気づき，どんどん深堀りしていくと，若者の問題と高齢者の問題も関わり合いがあると気づくことができた。」
「アイデア出しでは，自分の出す解決策がどれだけ抽象的で，あやふやなものか思い知りました。」

図表Ⅲ－1　課題シートからブレインマップへの作成例

(1)	＜要素＞	＜理由＞	＜解決策＞
(1－1) 孤独	・SNSの発展 ・いじめ ・コロナによる行動制限 ・ゲーム等のオンライン化	近年、SNSの発展により共通の趣味を持った人や新しいパートナーとの出会いなどが容易になった。そのため自発的かつ直接的なつながりが多くなっている。 また、コロナウイルスの影響で孤立することが増加する。ゲーム等のオンライン化によりネット上で顔の知らない仲間とのつながりが可能となるため、強いつながりを必要としない人が増加しているように感じる。	孤立する理由として挙げられるのは「なじめない」や「いじめ」、「孤立を苦だと思わない」などが多いと私は考える。 その上でコミュニケーションの機会を作ることが最善の策だと思う。SNSも活用し、個人の趣味の集まりやいじめ被害者の会のような、同じ価値観や境遇の人と関わる機会を伝達、発散していき、参加するという流れで孤立は解消されていき、また、全く知らない人とのつながりも（弱い（緩やかな）つながり）できていくと考える。
(1－2) 孤独死	＜要素＞ ・独身 or パートナーの他界 ・地域活動の不参加 ・若者のような連絡手段が難しい ・退職している	＜理由＞ 高齢者には学校や職場のような、同僚や先輩、後輩などの親しい間柄の人と関わる機会が若者や労働者に比べて非常に少なく、孤立してしまうケースが少なくないと思う。 最近では、コロナウイルスの影響もあり、地域活動が行われていないのでなおさら機会は少ない。また、高齢者には若者のようにSNSなどを用いた連絡手段は難しいことも要因の一つだと考える	＜解決策＞ 孤独死してしまうのは高齢者が一人で暮らしているからであり、そのような人を地域の活動などに定期的に参加させ、人と関わらせることで防ぐことが可能だ。元同僚や同級生と会う機会も同窓会など限られた機会しかないため、地域の同年代の人との関わりを保ち続けることが必要である。一人身になってしまった高齢者には老人ホーム等の施設で同じ状況の人と共に暮らすのが最も孤独死をさせずに、一定のつながりを持てる方法だと思う。

(2) 若者 ↔ 高齢者	＜若者の孤独感：高齢者の孤独死＞
若者と高齢者をつなげる活動 ・大学と地域団体と共同ボランティア／イベント ｛・地域清掃　・高齢者からの話　・文化体験 → 昔ならではの遊び｝ ・ ・地方の高齢者から旅行客（若者）への観光案内 ・若者（大学生）と老人ホームの高齢者とのふれあい ・草野球 ・ ・	若者の孤独感を高齢者と関わらせることで解消するには積極的なつながりが必要である。両者の関わりが最も深い活動は地域活動だと思う。定期的に行われており、また参加しやすい。高齢者からしても、定期開催されているため、同年代の人とも、若者ともコミュニケーションがとれる。若者が老人ホームの手伝いを行うボランティアも若者と高齢者との温かい空間を作り出せ、双方の問題を解消できると思う。

1.〈課題の抽出〉　発想の種まき

＜目的＞
ご自身（自社）の中にある課題やアイデアの視覚化

（主課題）
若者：強いつながりを求めるが孤立
高齢者：一定のつながりを持てず孤独死
課題の抽出
孤立・孤独

すぐにできないこと

すぐに解決しないこと

アイデア	課題
・いじめに対する意識改善をしたり、理解を求める ・親や友達に頼る：相談所に行く	若者： いじめによる孤立
・直接的な人付き合い、コミュニケーションの大切さを理解する	若者： オンライン・ネット上での人付き合いに満足
・親族が励まし、気持ちを立て直す ・老人ホームに入り、同じ境遇の人と関わる	高齢者 独身または パートナーが他界
・自分の子の家庭と共に暮らす→二世帯住宅 ・親族と共に暮らす（独身）	高齢者 夫婦で2人暮らし 独身で1人暮らし
・考え方を改めさせる ・将来のことを考えさせる一方で、家族がしっかりと向き合ってあげる	若者： ひきこもり

すぐにできること

課題	アイデア
両方： コロナウイルスによる行動制限	・遠隔コミュニケーションにより孤独感を低減させる ex）電話、zoom等
若者：（大学） 新生活による一から始まる友達づくり	・積極的に会話をする ・意見を出し合う場でしっかりと発言する
高齢者： 地域での人付き合いに消極的	・地域団体が地域の活動を呼びかける ・高齢者でも参加しやすいイベントを行う　ex）祭りの準備、学童ボランティア等
高齢者： 元同僚、同級生と会う機会が少ない	・地域団体（ボランティア）に参加して定期的に同世代の人と関わる
若者 強いつながりを持つことができない	・SNSやネットで共通の趣味を持った人が参加するイベントを見つけて、実際に参加してみる

＜気づき＞
若者：強いつながりを求める人とネット上での顔の見えない人とのつながりで満足する人の二極化
→人に依存しすぎず、また離れすぎないことが大切
高齢者：地域の人との関わりに限られてしまう
→限られた中で人付き合いをしていて関係（つながり）を持つ

（出所）学生による作成例を掲載。

図表Ⅲ－2　その他の学生が実施したブレインマップの作成例

1.〈課題の抽出〉　発想の種まき

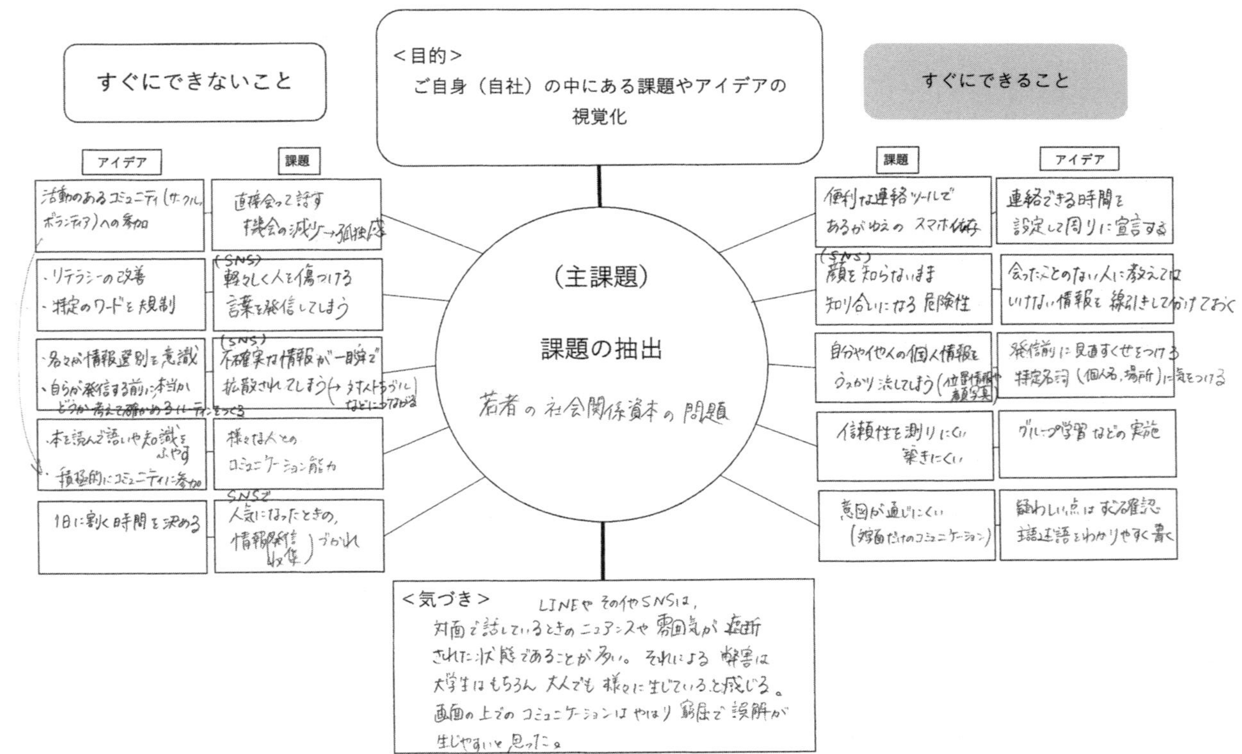

1. 〈課題の抽出〉 発想の種まき

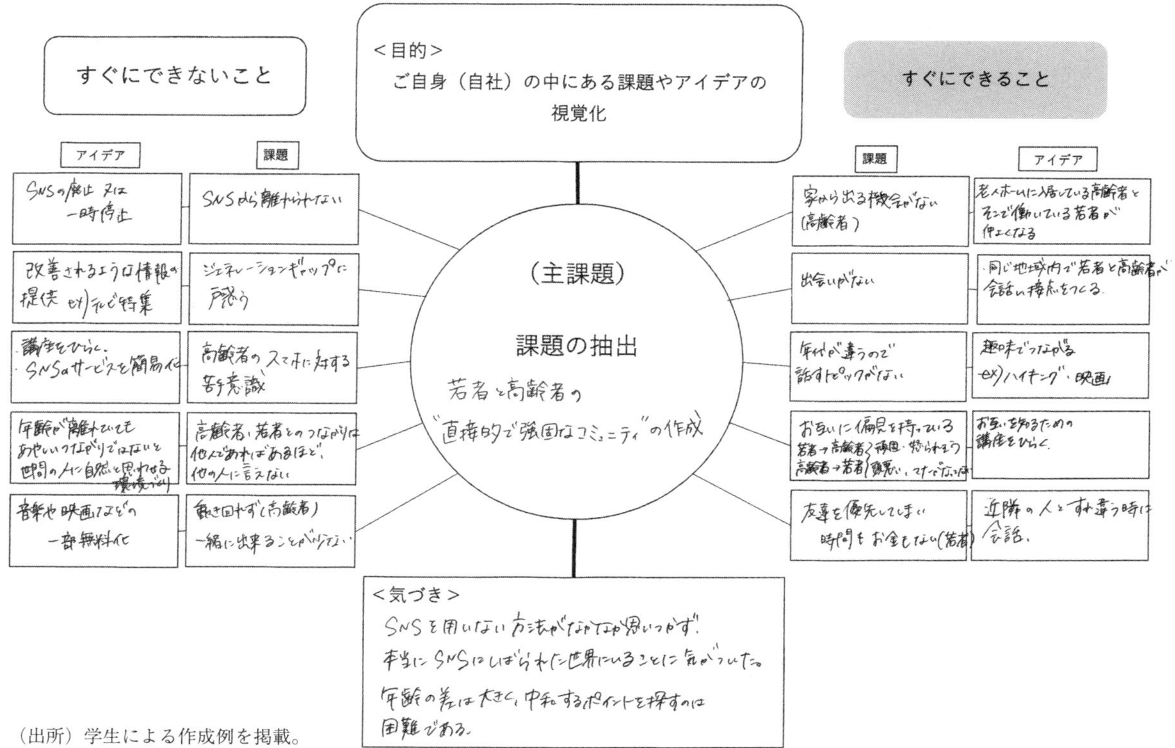

（出所）学生による作成例を掲載。

「思っていたよりもすぐにできることが多く，実際にやっていこうと思った。」

(2) 情報整理型

(a) 文書編集への活用

本事例は，文書を作成する際に，執筆する前段階として，収集した情報をテーマに沿ってまとめるため，ブレインマップを活用した事例である。

文書を書き始める際，収集した情報や自らの考えをまとめるために，構成段階から苦心される方が多いのではないでしょうか。また，書いているうちに内容が重複していたり，重要なことを書き落としていたりすることもあるかもしれない。文書を書くことに手慣れた方でなければ，全体を俯瞰した上で，書き始めることにより，上記のような迷いや悩みが少なくとも緩和される。

本事例は，本書籍の執筆者である榎本正氏が，日本大学第三高等学校（旧制日大三中）の出身で，元プロ野球選手ならびに監督を務められた関根潤三氏の追悼文を同校の同窓会誌へ寄稿する際に，ブレインマップを活用し，文書編集を行ったものである。(図表Ⅲ－3)

以下に，ブレインマップを使用した際の意識や利用時の効果等についてまとめる。

(手順)

①ブレインマップ作成の事前準備

榎本氏は，同校の野球部 OB である縁から，関根氏との長年の親交があり，「一般的な経歴，球歴，逸話を一覧化した内容に終始するのではなく，できる限り，温厚で明るいお人柄がイメージできるような内容にまとめることを心がけた」として，その目的に則した情報収集を実施した。

②目標・目的の作成「中央マスの上」

今回の目的は，同校の同窓会より提示された追悼文の依頼内容ならびに，全体のイメージを通した追悼文のタイトル等の内容を記す。

③中心となる概念の作成「中央マスの中」

「中央マスの上」に書かれた追悼文の依頼を実施するため，追悼文の構成が核となるテーマである。

④背景となる情報の整理「周辺マス」

周辺マスには，「中央マスの中」に書かれた追悼文の構成の順序に従い，情報収集した内容を右から順に記す。

中心に近いマスには，キーワードを記し，隣接するマスには，キーワードの補足情報を記す。

⑤枠に収まらない情報の記載（余白）

今回のテーマである追悼文の構成以外の情報（情報収集を行った出典先の情報，関根氏に関するメモ等）については，余白に記されている。

⑥文書編集のまとめ「中央マス下」

全ての作業が終わった後に，今回は，文書を構成する際の補助資料としての役割もあるため，関根氏の一般的な経歴の概要をまとめ，執筆する際のイメージを捉えることに役立てている。

⑦ブレインストーミング

最後に，ブレインマップ全体を俯瞰し，内容の重複，過不足ならびに順序の確認を行い，最終的な執筆活動へと移行した。

以上の過程を経て，完成した追悼文も同時に掲載する。(図表Ⅲ－4)

(ブレインマップ活用の効果)

今回の大きな課題は，関根氏の膨大な情報の中から，重複・過不足なく，指定された文字数の範囲に縮約することであった。ブレインマップに情報を落とし込むことにより，「中央マス上」の目的ならびに「中央マス中」の核となるテーマに沿って，情報整理を行うことができ，真に伝えたい内容を軸に全体のストーリーを構成することが達せられた。

図表Ⅲ－3　文書編集に活用したブレインマップの作成例

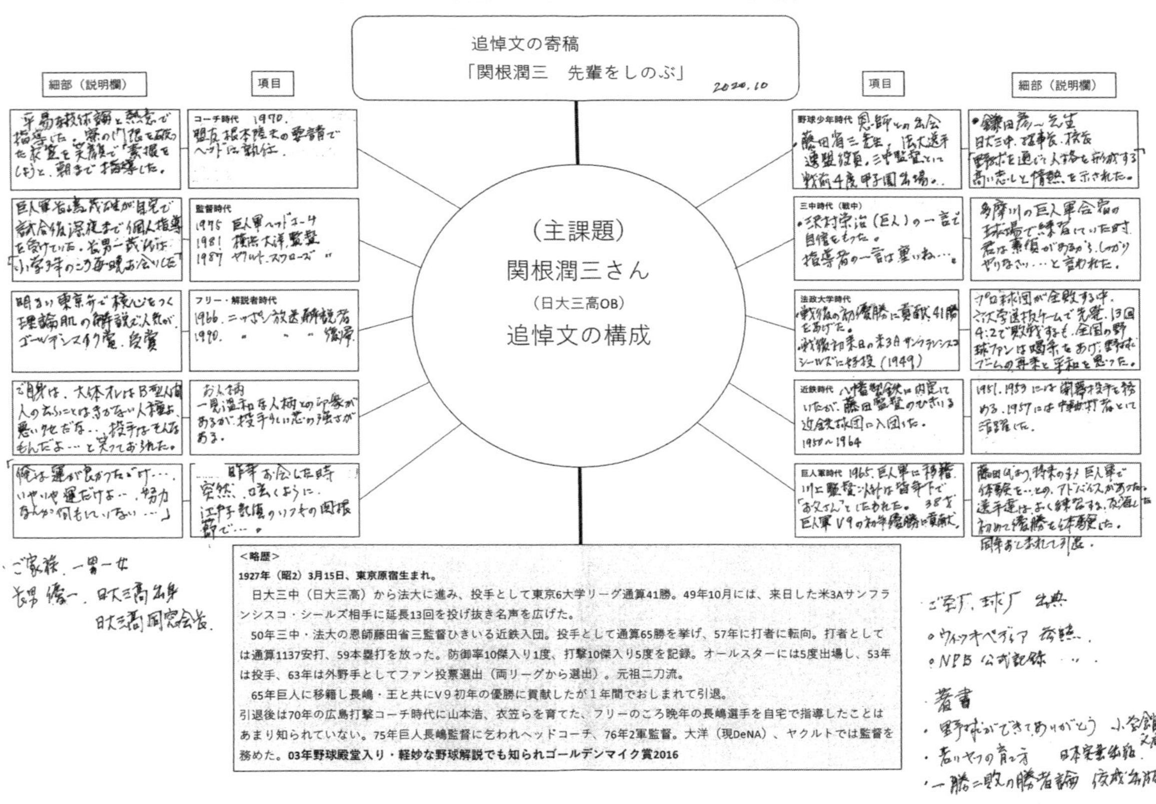

（出所）榎本正作成。

図表Ⅲ－4　ブレインマップを活用して実際に寄稿した追悼文

追悼
先輩
安らかに

関根潤三先輩　お疲れ様でした

日本プロ野球界の先達として、数々の記録を打ち立てた関根潤三先輩が去る4月9日92歳で逝去されました。
偉大なる大先輩の訃報に接し、第三学園同窓会一同、ここに心より哀悼の意を捧げます。

関根 潤三
せきね じゅんぞう

1927年東京都出身。旧制日大三中に進学、大学進学後、根本陸夫先輩とバッテリーを組み、技巧派ピッチャーとして大活躍。プロでは近鉄、巨人でプレーした。引退後は横浜大洋ホエールズやヤクルトスワローズの監督、テレビ評論家生活を通じて、飄々とした個性でファンに愛された。現役成績は投手として65勝、打者として1137安打、59本塁打、424打点。正真正銘の元祖2刀流である。2020年4月9日ご逝去

©サンケイスポーツ

旧制日大三中出身（昭和18年度卒）の野球人として球界に貢献された関根潤三先輩が、今年4月9日に逝去された。享年92歳。現役時代は近鉄、巨人で投手と野手の元祖・二刀流で活躍。両リーグからオールスターに選出された。指導者として広島と巨人でコーチ、大洋とヤクルトで監督をつとめた。野球解説では明るい東京弁で核心をつく理論肌の解説者だった。平成15年には、三中、法政大学、近鉄と同じ道を歩まれた盟友根本陸夫先輩に続き、野球殿堂入りを果された。

昭和14年入学の関根先輩の三中時代は戦争の時期に重なる。ご自身が主力になる頃には野球は敵性スポーツとされ、大会は中止となり他校の野球部は次々に廃部となった。その失意はいかばかりであったか。今コロナ禍で甲子園がなくなった現役の皆さんにも想像がつくところだろう。そんな状況下でも三中野球部は練習を続けた。理事長鎌田彦一先生は部員を集めて、「甲子園は目標ではあるけれども、大目的は野球を通じて人間をつくること」と話され、例年通り合宿練習を続けた。世間の風当たりも強くなる中、鎌田先生といい練習を続けた関根先輩といい、心から野球を愛されていたのだろう。関根先輩は「あの時廃部になりボールを握っていなかったら、今日の関根はなかった…」。と学校への謝恩の念を、ことあるごとに話されていた。

関根先輩が4年生の時、三中野球部が多摩川の巨人軍合宿所近くの球場で打撃練習をしていると、沢村栄治さん（巨人投手、戦死）に「君、大学どこに行くの？　素質があるからしっかりやりなさい」と言われた。「あの大投手沢村さんの一言で自信を持つことができた。この一言がなかったら僕の人生は大きく変わっていたかもしれない。後に思ったけれど、指導者の一言は重いね…」。

戦後、法政大学に進んだ関根先輩は、六大学選抜のエースとして来日したサンフランシスコ・シールズと対戦。プロチームが全敗する中、2対4で敗れはしたものの延長13回を投げぬき日本人唯一の完投だった。戦前、沢村栄治投手がベーブ・ルースなど大リーグ相手に好投したことを知る全国の野球ファンは喝采をあげた。この好投から関根先輩の野球人生は大きくひろがり、三中、法政以来の恩師藤田省三監督率いる近鉄に入団。以後、昭和40年の巨人V1まで、投手として65勝、野手としては1137安打という2リーグ制以降、関根先輩が唯一という大記録を打ち立てて現役を引退された。

一見、温厚なお人柄との印象があるが、反面いかにもプロ向きの芯の強さを秘めた方でもあった。ご自身では「大体オレはB型人間、人のいうことは聞かない人種よ、悪い癖だな。ピッチャーなんてそんなもんだよ」と笑っておられた。広島コーチ時代、寮の門限を破った衣笠祥雄選手を一喝するでもなく笑顔で「さぁ、素振りをしようか」と朝までつきあった話は有名だが、あのMr.ジャイアンツ長嶋茂雄さんが現役晩年の頃、フリーだった先輩を自宅に招いて深夜まで指導を受けていたことはあまり知られていない。当時小学3年生だった長男一茂氏は「関根さんには毎晩のように会ってました」と語っている。ミスターが巨人の監督になるや関根先輩をヘッドコーチに招いたのは、先輩の野球理論に全幅の信頼をおいていた証であろう。先輩は「長嶋は天才と人はいうけど、本当は努力の人」と話されていた。

昨年お会いした時、小倉監督や後輩のプロ選手の活躍のことから「俺は運が良かっただけ…」と呟くように話された。「いや！そんなはずはないでしょう、毎日300球を投げ込み走り込んだでしょう」と返すと、「いやいや、運だけよ。努力なんて何もしていないよ…ホント」と、野暮を嫌う江戸っ子気質のいつもの関根節。今もその満面の笑顔が忘れられない。ご冥福をお祈りいたします。

執筆者／榎本 正（えのもと ただし）
昭和27年度卒業。現役当時はマネージャーを務める。日本大学経済学部を卒業後、母校でコーチを務めた。硬式野球部のOB会である野球倶楽部で、昭和37年から52年まで副部長。

昭和27（1952）年春、戦後初めての甲子園出場時、近鉄パールスに所属していた関根先輩（前列右から2人目）は、根本陸夫先輩らと激励に駆けつけました。

12

（出所）日本大学第三学園同窓会誌『星ヶ丘』2020年号，pp.12-13。

また，一枚の紙に，俯瞰した情報が記されている利点として，文書全体の設計図の役割を担い，迷うことなく執筆にあたることができた。

(b) 読書ノートへの活用

本事例は，書籍を読んだ際に文中の重要だと感じた情報について，ブレインマップを活用し，情報整理したものである。

読書をした際に重要と思っていた内容が，時間を置いてしまうと何処に書い

てあるのか忘れてしまい，探すのに苦労した経験のある方は少なくないであろう。また，読みながら付箋をこまめに付したとしても読書の量が増えれば増えるほど，付箋のどこに知りたい要点が書かれているかを探すのは容易ではない。

書籍の情報は，一般的に目次が記されており，本の全体的な構成を俯瞰できるような作りとなっている。しかし，ブレインマップを通した読書ノートは，単に目次を並べることによる情報整理を目的としていない。なぜなら，読み手の「経験値」や「現在感じている課題」，「趣味・趣向」等により，何が重要であるかという観点が変わってくるからである。そのため，書籍を再び読み返すことなく，自身が感じた要点となる情報について，一目で俯瞰できるようにすることが，ブレインマップを通した読書ノートへの活用の目的となる。よって，完成したブレインマップについては，同じ書籍を読んだとしても読み手によって同じものはできあがらないことに留意して頂きたい。本事例は，佐藤将之氏 著作の『アマゾンのすごいルール』（宝島社）を基に，筆者が読書ノートを作成した内容となる（図表Ⅲ－5)。

以下にブレインマップを通した作成手順を記載する。

(手順)

①ブレインマップ作成の事前準備

メモができる環境を整え，読書を行う。詳細を読み返す際に有効であるため，付箋を付して読むと，より詳細な情報を記すことができる。一通り読み終えた後，自らの思考とすり合わせを行う作業として，2，3回読み直し，全体のストーリーをイメージできるようになると良い。

②目標・目的の作成「中央マスの上」

全体のイメージが固まった後に，書籍の中で特に自らが得たいと思う内容であり，全体を俯瞰した内容を記す。

③中心となる概念の作成「中央マスの中」

「中央マスの上」に書かれた全体のイメージに基づき，自らが核となるテーマもしくは，中心となる概念を記す。

④背景となる情報の整理「周辺マス」

「中央マスの上」にあたる自らがまとめたい目標，目的に従い，「中央マスの中」に書かれた中心となるテーマ・概念の背景となる内容を右から順に記していく。

中心に近いマスには，キーワードを記し，隣接するマスには，キーワードの詳細を記す。

⑤枠に収まらない情報の整理（余白）

今回のテーマには，直接関わらないもしくは全体の情報整理から漏れてしまった内容の中でも自らが書き留めておきたい情報が生まれてくる場合がある。

その際に，本事例の様に，余白に書き込むことにより，情報を補完することも重要な作業となる。

⑥読書ノートのまとめ「中央マス下」

全ての作業が終わった後に，全体を通した「気づき」やさらに「中核となる概念」や「展開」についてのまとめを記す。

⑦ブレインストーミング

最後に，作成したブレインマップを通じて，「なぜこのテーマについて整理したのか」「なぜ自らにとって必要であるのか」「他の書籍やその他の媒体の中で，関連する情報はあるか」といった内容を自らに問うことにより，より深い思考へと繋がり，そこで得られた課題が新たなブレインマップの中心となるテーマとして作成される。

図表Ⅲ－5　読書ノートに活用したブレインマップの作成例

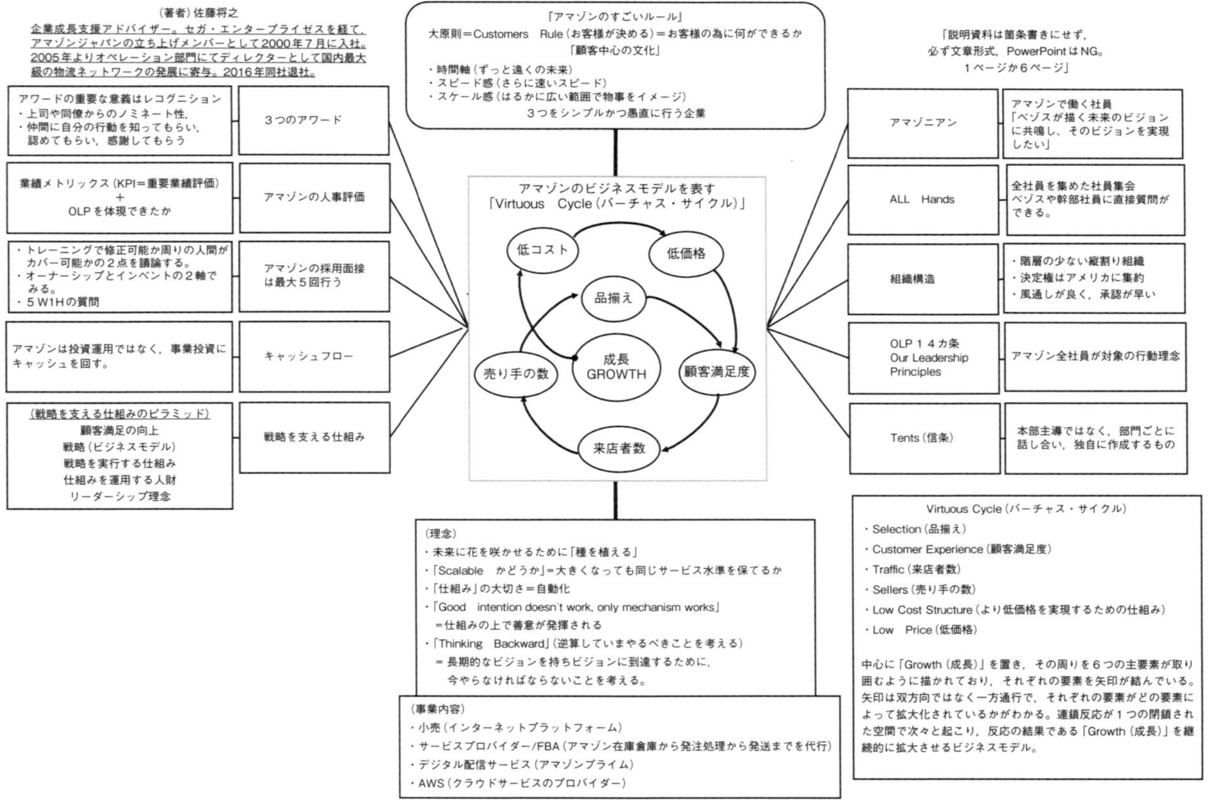

（出所）佐藤将之氏 著作の『アマゾンのすごいルール』（宝島社）を基に，谷真哉が作成。

図表Ⅲ－6　その他の読書ノートに活用したブレインマップの作成例

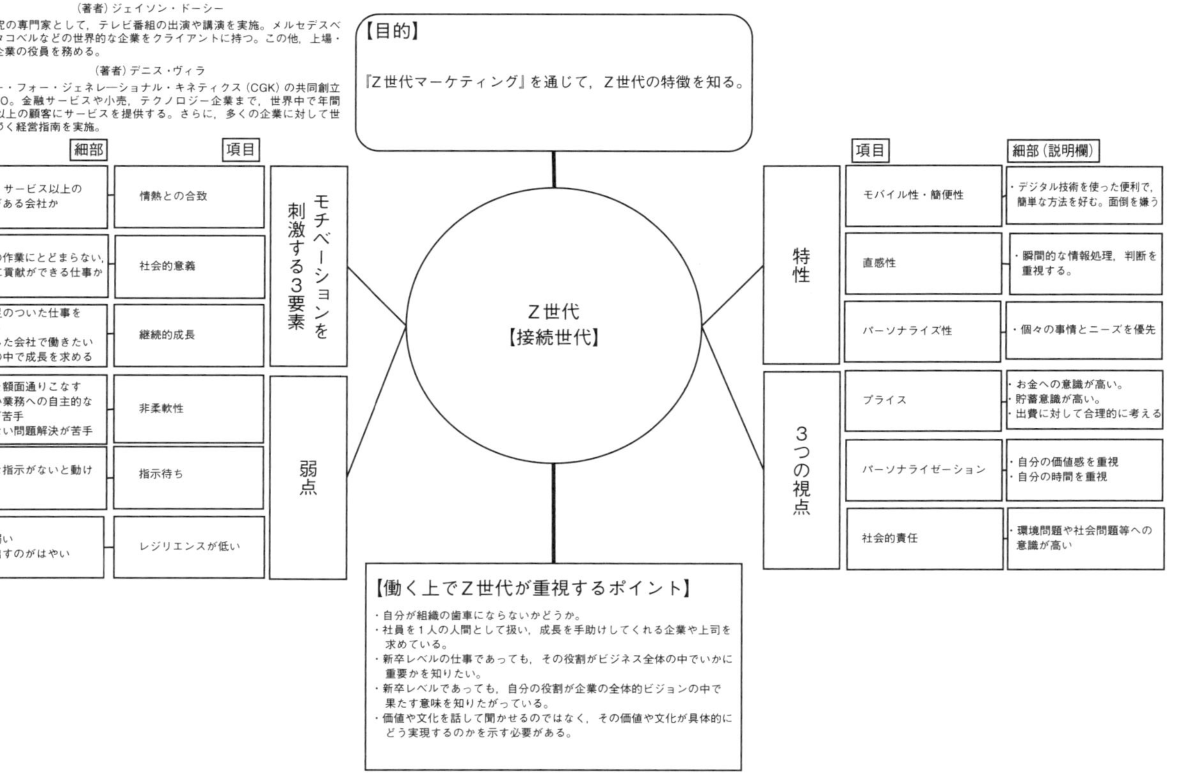

（出所）ジェイソン・ドーシー，デニス・ヴィラ 著作の『Z世代マーケティング』（ハーパーコリンズ・ジャパン）を基に，谷真哉が作成。

3. 応用編

ここからは，ブレインマップを土台に作成した企画案や他のフレームワーク（整理法・分析手法等）を組み合わせた応用事例を紹介する。

基本編で紹介したブレインマップは，自分自身で，明らかにしたい目標や目的，テーマ，具体的な内容を自由に記述していく内容であったが，応用編では，よりビジネスを意識した内容として，企画書のたたき台として他者に伝えることを目的とした内容や自身と他者を比較し，今後の検討につなげることを目的とした内容，過去の事業について整理し，未来の新事業への検討を目的とした内容といったように，より具体的な目的を実現するために他のフレームワークを組み合わせたブレインマップを紹介する。

(1) 発想集約型：アイデア発想＋課題解決（ブレインマップ×企画案）

基本編（1）の発想集約型で紹介した内容は，主に自身の脳内にある発想や課題，問題意識の可視化を通じて，いかに整理し，次の具体的な活動につなげることができるかが重要なポイントであった。しかし，今回は応用として，自身が課題解決に対するアイデアを企画案として他者に伝えることができるかが重要であり，相手がイメージしやすいよう物語（ストーリー）を意識した構成にすることに力点が置かれている。

本事例は，昨今のコロナ禍の影響により，大学生の授業がオンライン中心となり学年を越えた交流機会の減少や受動的な学習スタイルが根づきつつある，という筆者の問題意識から，主体的にゼミナールに参加することを促す仕掛けを計画ならびに実行に移すうえで，ブレインマップを活用した内容である（図表Ⅲ－7）。

(手順)

①ブレインマップ作成の事前準備

はじめに，ブレインマップに記載する前に「発想の種まきに関するワークシート」(図表Ⅱ-14) を利用し，現在の筆者自身が感じる大学生の学習ならびにゼミナール運営上の課題に関する洗い出しを実施する。さらに課題に対する自身が考えるアイデアを書き出し，最後に共通する内容の整理とすぐにできるか否かのチェックまでを行う。ワークシートを利用した事前準備が終われば，実際にブレインマップへの記載を開始する。

②目標・目的の作成「中央マスの上」

「中央マス」の上には，今回の問題意識から生まれた目的として，「学生主体のゼミ運営（ボトムアップ型へ)」「学年を越えたつながりの強化」「教員・学生双方の作業の効率化」の３点を記載する。

③中心となる概念の作成「中央マスの中」

「中央マスの上」に書かれた目的と事前準備としてワークシートに記載した内容に基づくイメージから，今回のテーマに位置づけた「ゼミ運営のシステム化」と「オブザーバー制の導入」を記す。

④課題とアイデアの整理「周辺マス」

周辺マスには，「中央マスの中」に書かれたテーマに従い，課題シートに記載した内容を右側には，「すぐにできること」，左側には，「すぐにできないこと」に分け，「課題」と「アイデア」を対にして転記する。

ここで，基本編で実施した発想集約型（図表Ⅲ-1，Ⅲ-2）とは異なり，企画案の全体像を他者に伝え，実行につなげることを目的としているため，右側の「すぐにできること」には，実行する際のストーリーを意識した順序を上から記載し，左側の「すぐにできないこと」には，実行した際に時系列の順に問題点として想定される内容を上から記載する。

⑤枠に収まらない情報の記載（余白）

今回，余白の記載はないが，周辺マスに関わる補足情報や挿絵等を入れておくのも良い。

⑥まとめ「中央マス下」

全ての作業が終わった後に，シート全体を俯瞰し企画案をプレゼンテーションするイメージを膨らませる。その際に，より注意すべき点を【気づき】として記載する。さらに，今回，説明する際に補足資料の必要性が新たに感じられたため，必要資料の内容を【用意すべき資料】に記している。

（ブレインマップ使用後の経過）

筆者は，2021 年 11 月に発想したアイデアを本企画案として作成し，ブレインマップを活用した企画案のストーリーに従い，実行に移した。プレゼンテーションする内容の全体像が，ブレインマップを通じて整理されていたことにより，中心人物として抜擢した同研究室に所属する大学院修士課程のＩさんにもスムーズにイメージ共有をはかることができ，その後の運用も円滑に進めることができた。

今回のシートは，企画案として作成した内容であるため，実際に企画内容を運用する際には，目的に沿った新たなブレインマップを作成することが必要となる。計画を実行に移した際には，運用の経過とともにブレインマップを更新し，過去に作成したブレインマップを振り返りながら実行することにより，目的の達成に近づくことが期待できる。

(2)　情報整理型：思考整理（ブレインマップ×5W1H）

今日まで，自己分析に関する手法は，様々に存在している。自身が無意識に感じる価値感やこだわり等の内面的な思考を知ることは，現在から過去を振り返り，未来への行動へつなげていくためにも重要な活動であるといえよう。

本事例は，アーティストならびにデザイナーとして活躍されている澁木智宏氏が，自身のアーティストとしての根幹に立ち戻り，自身の制作を客観的に捉

図表Ⅲ－7　ブレインマップ×企画案の作成例

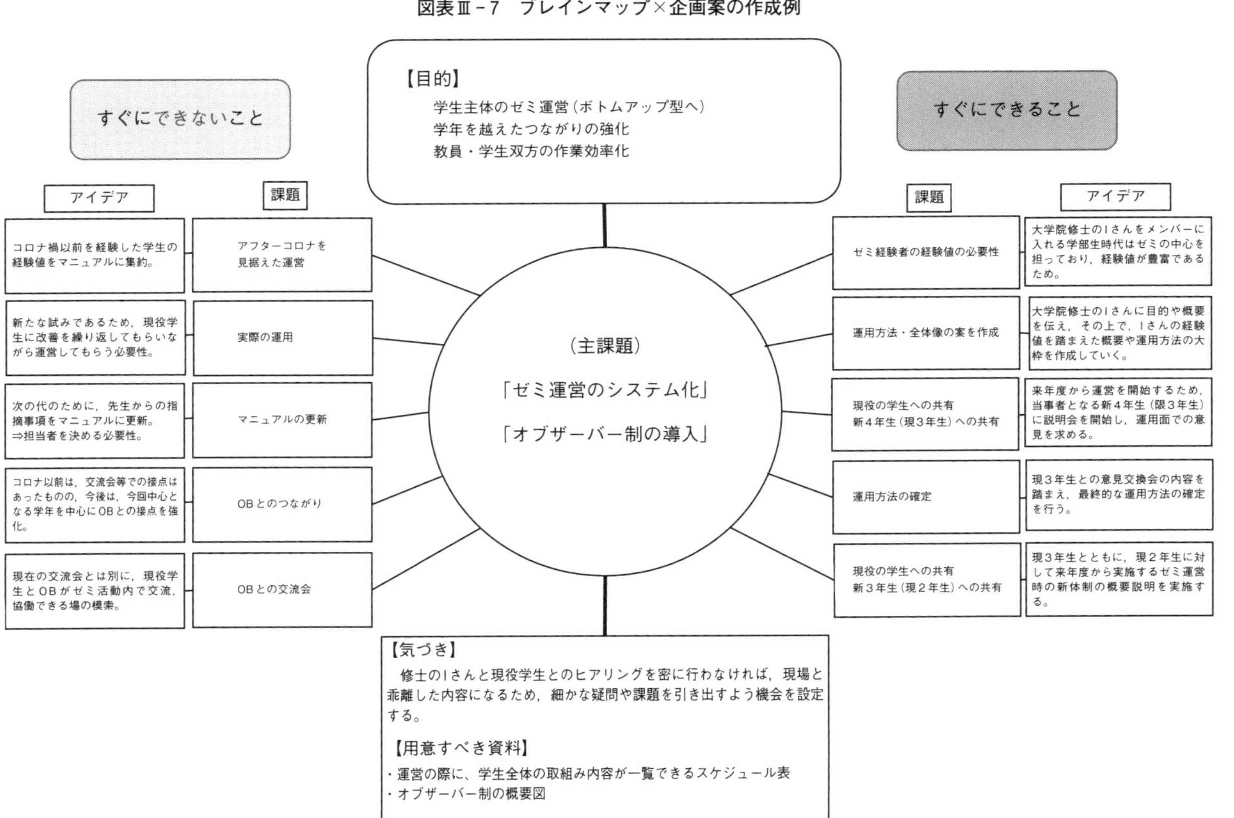

（出所）ブレインマップを活用した企画案として，谷真哉が作成。

えたいという思いから，アーティストステートメントを整理することを目的に活用した内容である。(図表Ⅲ-8)

ブレインマップを土台に5W1Hのフレームワークを組み合わせ，普段，思考の中に存在する引き出したい情報を明確に具体化して表出させることを期待した内容となる。さらに，自身が主観的に感じる他者と自己の比較を同時に行うことも目的として設定している。

(手順)

①ブレインマップ作成の事前準備

あらかじめ，5W1Hに関する項目を「中央マスの中」に隣接する右側と左側のマスの中に記入する。今回は，他者との比較も同時に実施するため，右から「WHO（自己)」「WHO（他者)」「WHEN（自己)」「WHEN（他者)」…のように項目に記載する内容をあらかじめ指定する。

②目標・目的の作成「中央マスの上」

事前準備が終えた後に，今回の目的ならびに記載方法，留意点等の内容を記す。

③中心となる概念の作成「中央マスの中」

「中央マスの上」に書かれた全体のイメージに基づき，今回のテーマである「アーティストステートメントの整理」を記す。

④ 5W1Hに基づく整理「周辺マス」

「中央マスの上」に書かれた，記載方法，留意点に基づき，「中央マスの中」に隣接する左右のマスに，あらかじめ設定した5W1Hの内容に則して記す。

今回は，自身のことについては，「過去の棚卸しを通した，経緯をたどる」内容を記し，他者のことについては，「共感するアーティストとの比較ならびに類似点を探る」内容が記されることになる。

具体的には，右から，WHO（自己）には，「自身を表現するキーワード」，WHO（他者)「共感するアーティストが表現するキーワード」，WHEN（自己）「自身の経歴」，WHEN（他者）「共感するアーティストの経歴」…のように順をおって記載し，隣接するマスには，具体的な内容を記す。

⑤枠に収まらない情報の記載（余白）

今回，余白の記載はないが，周辺マスに関わる補足情報や挿絵等を入れておくのも良い。

⑥ 5W1H 整理のまとめ「中央マス下」

全ての作業が終わった後に，シート全体を俯瞰し，自身のアーティストステートメントの核となる内容を探る。

今回の整理では，今後の展開として「アーティストステートメントを確立する」「アーティスト活動の新たな出発点とする」「アートとしての価値をつくる」といった新たな目標が生まれている。

⑦ブレインストーミング

最後に，作成したブレインマップを基に，澁木氏と筆者とで，各項目について過去の作品や共感するアーティストの作品との類似点や差異点について議論を行い，アーティストステートメントの深堀りを実施した。

（澁木氏の感想）

自分では当たり前に思っていた部分や無意識だった部分をきちんと掬い取るように意識し，ブレインマップ作成にあたったが，実際に自分自身の見えていないところがたくさんあり，ブレインマップを通して意識化することができた。

・澁木智宏氏の経歴（アーティスト）

北海道小樽市出身。武蔵野美術大学工芸工業デザイン学科卒業後，デザイン会社勤務を経て作家活動を開始した。日常のありふれた物や何気ない風景を通して得られる発見を基点に，物事の境界を積極的に曖昧にすることで立ち上がるものをテーマに作品を制作する。

図表Ⅲ－8　ブレインマップ×5W1H を活用した作成例

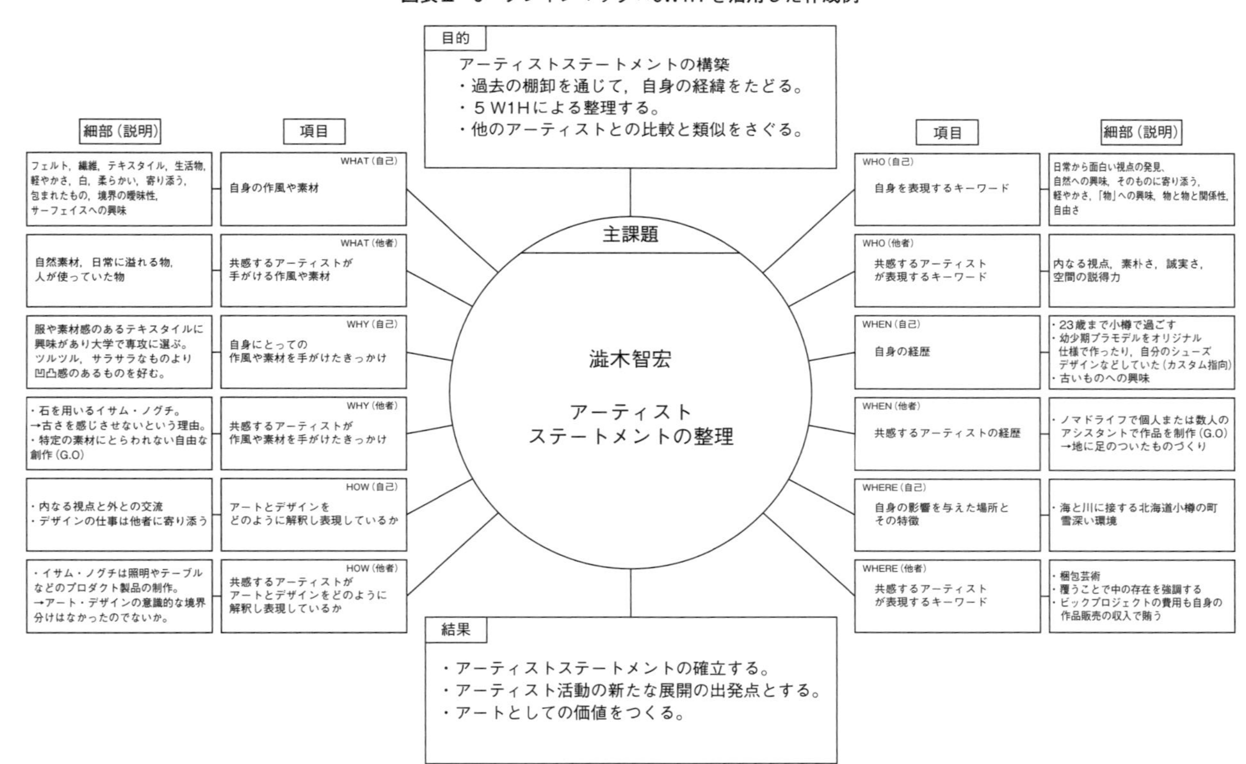

（出所）ブレインマップを活用したアーティストステートメントの整理として，澁木智宏氏が作成。

近年はフェルトの中にあらゆるものを内包させ，その内包物をもとの存在から曖昧なものへと転化するプロジェクトを行う。2018 年には，ART BOX 2018 で札幌駅構内に展示，2021 年の UNMANNED 無人駅の芸術祭／大井川に出品した。この他，多数の芸術祭や個展等の活動を実施している。

(3) 情報整理型：事業検証・計画（ブレインマップ×6W2H）

最後に，ビジネスの観点で使用した，より実践的なブレインマップを紹介する。本事例は，執筆者の一人である境 新一教授（当事者）が長年に渡り境企画として運営してきた「ハートフェルト・コンサート」を基に，聞き手（谷 真哉）がインタビュー形式で作成したものである。

当事者と聞き手（ブレインマップ作成者）が 6W2H のブレインマップの項目に沿って，対話形式で実施し，聞き手がインタビューで得た情報を基に，ブレインマップに整理し，今後の事業展開の検証資料として利用する内容となる(図表Ⅲ-9)。

(手順)

①ブレインマップ作成の事前準備

あらかじめ，6W2H に関する項目を「中央マスの中」に隣接する右側と左側のマスの中に記入したブレインマップを用意する。

次に，聞き手が当事者に対して，6W2H の各項目に関する内容の説明を行い，ブレインマップ作成の主旨を伝え，ブレインマップ作成手順（①「中央マス上」⇒②「中央マス中」⇒③「周辺マス」⇒④「中央マス下」）に沿ってインタビューを実施し，情報収集を行う。

②目標・目的の作成「中央マスの上」

事前準備を終えた後，ここからは聞き手が収集した情報を基に，ブレインマップ作成手順に沿って各項目に転記する。

（内容）

1997 年に開始したハートフェルト・コンサートは，2018 年 1 月 13 日に開催した公演で節目の100回を越え，2022年で15年目を迎えた演奏会である。コロナ禍の影響等もあり，2018年12月の101回公演から，開催できずにいる。そこで，この機会に，コンサートの全体像や主旨や2009年2月に取得した商標（ハートフェルト）の経緯の振り返りを行い，今後のアフターコロナを見据えた取組みの検討資料として活かすことを目的とした。

③中心となる概念の作成「中央マスの中」

「中央マスの上」に書かれた当事者の全体像ならびに目的に基づき，今回の主テーマとして「ハートフェルト　①商標化の経緯，②コンサートの主旨　振り返り」を記した。

④ 6W2Hに基づく整理「周辺マス」

「中央マスの上」に書かれた，目的ならびに「中央マスの中」の主テーマに基づき，隣接する左右の「周辺マス」に，あらかじめ設定した6W2Hの内容にそってキーワードを記しし，詳細は，さらに隣接する「細部」に記載する。尚，6W2HのWhatは，「中央マスの中」の主テーマと位置づけている。

⑤枠に収まらない情報の記載

今回，余白の記載はないが，周辺マスに関わる補足情報や挿絵等を入れておくのも良い。

⑥ 6W2H整理のまとめ「中央マス下」

最後に，「中央マス下」にインタビューで収集したまとめの情報を記載する。

今回の6W2Hのブレインマップに基づくインタビューを通じて，当事者から，改めて「ハートフェルト・コンサート」の意義や目的，強みを振り返ることができたという結果や気づきが得られた。また，今後のアフターコロナを見据え，取組みとして，商標を未だ活かしきれていない現状と，リアルとデジタルをいかに融合した取組みを模索していくかが課題であり，課題解決に向けた新たなブレインマップの作成が鍵になるであろうという結論に至った。

図表Ⅲ－9　ブレインマップ×6W2H を活用した作成例

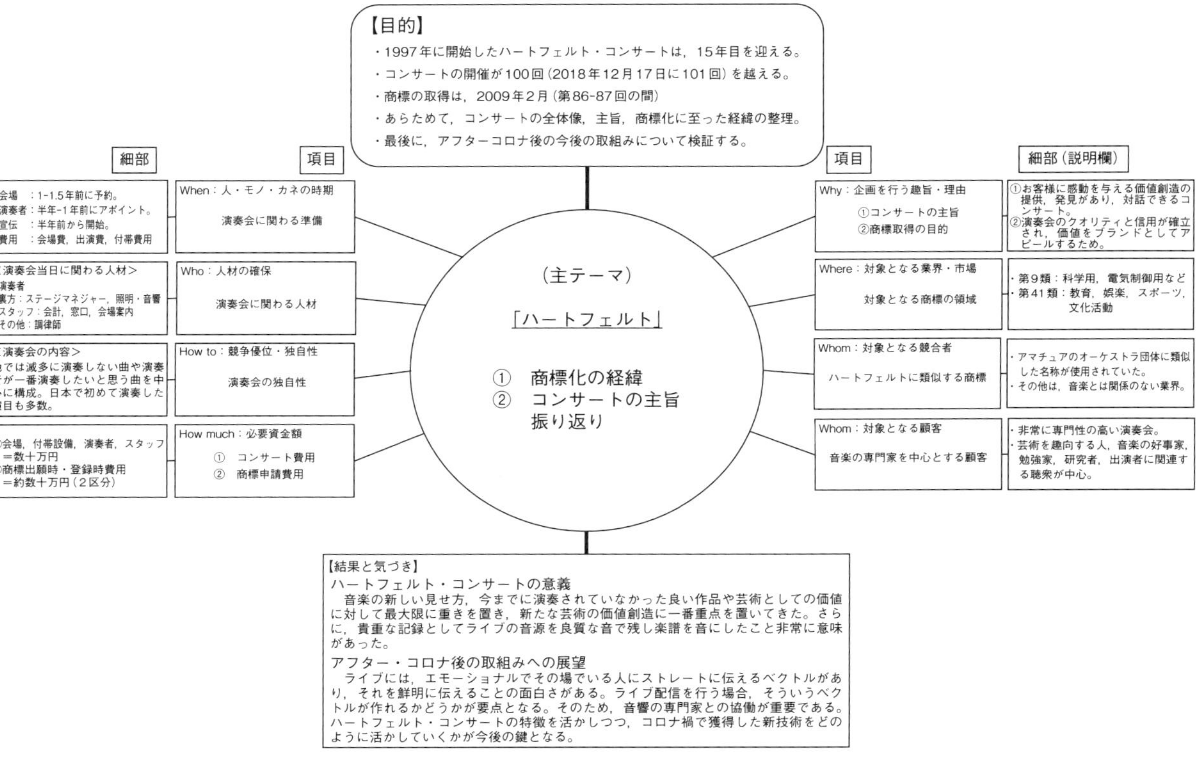

（注）当事者（境新一）へのインタビューを基に聞き手（谷真哉）が作成したブレインマップである。

⑦ブレインストーミング

最後に，作成したブレインマップを基に，当事者（境新一）と聞き手・ブレインマップ作成者（谷真哉）とで，各項目について，なぜなぜ分析を行い，次に作成するブレインマップについての検討を行った。

4. ブレインマップの実践から得られた知見と今後の展開

ここまで，本書で私たちが新たに提案する「ブレインマップ」の使用例として，課題解決に至るためのアイデア整理や文書校正のための整理，読書ノートとしての整理，プロジェクトの計画としての整理，個人または事業における棚卸しとしての整理など，様々な具体例を紹介した。どの事例においても整理したことによる効果として，気づきや課題が発見され，新たな発想へと思考の連鎖が生まれることが示された。その理由として，本マップの特徴である主要な情報を１枚にまとめる一覧性と目標や目的，結果のような軸となる情報を中心マスに定位させていることによりイメージの促進に貢献していることが実施者の感想からも伺える。

しかし，マップを作ることが目的であってはならず，これまでに述べてきたように，先人たちの知見に基づく「新事業創造の基礎」（第Ⅰ部）や様々な発想法・整理法を体系的に捉えた「発想法」（第Ⅱ部）など，日々の学びがあってこそブレインマップは，より一層効果を発揮すると考える。

新事業創造のための事例としては，不足は未だ否めないが，私たちは，今日もなお日々多くの経営者やサラリーマンを含め，様々な課題解決のための実践を行い，本マップを活かす取組みを継続している。本書を起点として，今後もブレインマップの進化・深化を続け，世の中の要請に応えることのできるツールとなり得ることを目指している。

おわりに

本書では，新たな事業創造を可能にするプロデュース手法を，経営学の分析枠組みに関する問題点を検証しつつ，特にウィズ／アフター・コロナにおける社会的変革と新事業創造について，原点回帰と公益の実現から考察した。そして金出氏らの発想法から始め，後から畑村氏の失敗の構造化と失敗まんだらの可視化，リース氏のピボットと軌道修正も参考としながら，当方で独自に考案したブレインマップの構築とそれを用いた具体的な価値創造の仕方を提起した。現在から過去ならびに過去から未来を見据えて，未来の目標から逆算することは決して容易なことではない。しかし，上記の行為を経て，現在なすべきことも見えてくる。まさにこれこそが原点回帰である。

SDGs に関わる新事業は公益性を含んでいる。さらにウィズ／アフター・コロナにおいてはその創造にあたり，既存事業とのバランスが求められる。何よりも事業の発想が大切であるが，金出氏らが言及するように，素人発想・玄人実行，それも物語を描きながら多様に発想し，確実に実行していく必要がある。

私たちは正解のない，もしくはわからない問いに対して，常に自ら解をつくらなければならない状況に置かれている。試行錯誤を経て，事業創造の成功確率を上げ，失敗を巧みに補填し，あるいは成功に転換できる企業は持続可能である。

改めて，ブレインマップの特徴を集約するならば，素人発想・玄人実行，失敗要因の構造化，成功への転換を促す発想と形式知化，情報／論点の一覧性，原点回帰，未来から現在へのバックキャスト，物語構築，代替案のレイヤー化と柔軟な切り替えにある。また，主な活用目的としては，①発想集約　②情報整理　③教唆・気付きの３つがあげられる。

今後，不安定かつ不確実な社会状況の中，ブレインマップは，これらの考え方を踏襲しつつ，アプリとの連携の模索や AR・VR を用いた完全ペーパーレス化，AIを用いた対話形式への展開など試行錯誤を通じて，「いつでも」「どこでも」「誰でも」使用されることを目指し，常に世の中の要請に応えられるツールとなり得ることを期待したい。

最後に，二人のノーベル賞受賞者の言葉を引用したい。まず，2002年にノーベル化学賞を受賞した田中耕一氏の言葉である。

「偶然とは，強い意思によってもたらされる必然である。」

常に想いと情熱，当事者意識をもって対象に挑み，研究しつづける姿勢からやがて幸運の女神が舞い降りる。将来のビジョンを実現するために，日々，技術開発と製品化に邁進する技術者の姿に重なる。

次に1921年にノーベル物理学賞を受賞したアルベルト・アインシュタイン（Albert Einstein 1879-1955）の言葉である。

「今日私たちが直面する重要な問題は全て，それを作りだした時と同じ意識レベルで解決することはできない。」（The problems that exist in the world today cannot be solved by the level of thinking that created them.）

アインシュタインは，課題を解決するためには，私たちの意識の進化が必要だと示唆している。ただし，それぞれの課題が複雑に絡み合うため，1つの課題を解決しても，すぐ新たな課題が発生する。それはSDGsの目標と課題をみてもわかることである。同じレベルで解決できる課題はあまり多くなく，次の，さらに次のレベルに意識を高めること，変革・進化・深化することが不可欠ではないだろうか。SDGsは私たちが直面する社会的な課題提起と課題解決そのものである。

参考文献・資料

第Ⅰ部　概要編

【書籍】
境 新一（2017）『アート・プロデュース概論』中央経済社。
境 新一編著，齋藤保男・加藤寛昭・丸 幸弘・塚田周平・臼井真美（2020）『アグリ・アート』中央経済社。
境 新一（2021d）『アート・プロデュース概論　2刷』中央経済社。
渋沢栄一（1916），渋澤 健 監修（2021）『論語と算盤』ウェッジ。
田所雅之（2019）『入門 起業の科学』日経BP。
戸部良一・寺本義也・鎌田伸一・杉之尾孝生・村井友秀・野中郁次郎（1991）『失敗の本質―日本軍の組織論的研究』中公文庫。
野口裕二編（2009）『ナラティヴ・アプローチ』勁草書房。
畑村洋太郎（2005a）『失敗学のすすめ』講談社文庫。
畑村洋太郎（2007）『決定学の法則』文藝春秋文庫。
畑村洋太郎（2010）『失敗学実践講義　文庫増補版』講談社文庫。
畑村洋太郎（2014）『図解　使える失敗学』KADOKAWA。
畑村洋太郎（2022）『新 失敗学 正解をつくる技術』講談社。
ロラン・バルト（1979）『物語の構造分析』花輪光訳，みすず書房。
トマ・ピケティ（2014）『21世紀の資本』山形浩生訳，守岡桜訳，森本正史訳，みすず書房。
マリー=ロール・ライアン（2006）『可能世界・人工知能・物語理論（叢書 記号学的実践）』，岩松正洋訳，水声社。
エリック・リース（2012）『リーン・スタートアップ』井口耕二訳・伊藤穣一解説，日経BP。
【論文・記事】
境 新一（2013）「近代日本におけるプロデューサーとしての渋沢栄一：公利公益の哲学とその意義に関する考察」『成城大学経済研究』201号，47-77頁。
境 新一（2015）「アート・プロデュース論の枠組みとその展開―アートからビジネスへの実践事例を通して―」『組織学会大会論文集』Vol.4，No.1，145-150頁。
境 新一（2021a）「ポスト・コロナにおける新事業創造のプロデュース手法：素人発想・玄人実行，ブレインマップによる原点回帰と価値創造の提案」『成城大学経済研究』233号，41-85頁。
境 新一（2022）「ポスト・コロナにおける社会変革と新事業創造のための発想法―原点回帰と公益の実現を目指して―」『公益叢書第七輯』文眞堂，第1章：5-35頁。
DIAMONDハーバード・ビジネス・レビュー（2015）「特集　人工知能」（2015年11月）ほか，各論稿。
堀内 勉（2021a）「今求められる渋沢栄一という思想　SDGsの未来と『論語と算盤』」2021/04/05。
堀内 勉（2021b）「渋沢栄一　士魂商才を貫いた先駆者」『時空旅人別冊』。
【紙媒体・配布資料】
境 新一（2020）「新事業創造のためのプロデュース手法」『成城学びの森オンデマンド秋冬講座』配

布資料。
境 新一（2021b）「原点回帰と創造のための発想法入門―現在・過去・未来の事業視点から―」『成城学びの森オンデマンド春夏講座』配布資料。
境 新一（2021c）「ポスト・コロナにおける SDGs ／ DX の展開と新事業創造―ブレインマップを活用して―」『成城学びの森オンデマンド秋冬講座』配布資料。
横浜市政策局政策課（2018）「横浜市中期 4 か年計画 2018～2021」。
【インターネット・URL・電子媒体資料】
青木勇気（2011）「「物語」とは何であるか」 http://agora-web.jp/archives/1416793.html 2011.12.24（最新参照 2021 年 5 月）
外務省（2021）「JAPAN SDGs Action Platform」 https://www.mofa.go.jp/mofaj/gaiko/oda/sdgs/index.html。
金出武雄（2006；2007）「問題解決の 7 か条」インタージャーナル（聞き手：桂木行人）（株）メディアエンジニアリング，2006-2007 年［全 7 回］ http://www.mec.gr.jp/INTER/inter.html（2022 年 2 月最新参照）。
ドライバータイムズ（2018）「原点回帰が必要な理由・仕事のモチベーションを上げる方法・効果」 2018.7.5 https://driver-times.com/driver_work/driver_biz/1055333（最新参照 2021 年 5 月）。
畑村洋太郎（2005b）「失敗知識データベースの構造と表現」（「失敗まんだら」解説）失敗学会 Web http://www.shippai.org/fkd/inf/mandara.html 2005（平成 17）年 3 月。
ブレインパッド・DOORS 編集部「DX は SDGs にどう関連する？持続可能な未来と DX」 https://www.brainpad.co.jp/doors/news_trend/dx_sdgs/ 2020.12.22（最新参照 2021 年 9 月）。
ベンチャーネット（2021）「安定企業こそ目指すべき「両利きの経営」によるニューノーマル対応型企業」 2021.1.15（株）ベンチャーネット（venture-net.co.jp） https://www.venture-net.co.jp/virtualblog/19187/。
吉野 彰（2019）「ノーベル化学賞 吉野彰さん 開発秘話と未来への思い」2019.10.10 https://www.nhk.or.jp/gendai/articles/4340/index.html。

第 I 部 【注目の書籍　解題編】

【書籍】
荒木博行（2021）『世界　失敗製品図鑑』日経 BP。
H・I・アンゾフ（1985）『企業戦略論』広田寿亮訳，産業能率大学出版部。
大野耐一（1978）『トヨタ生産方式―脱規模の経営をめざして』ダイヤモンド社。
チャールズ・A・オライリー／マイケル・L・タッシュマン（2019）『両利きの経営』入山章栄監訳／冨山和彦解説／渡部典子訳東洋経済新報社。
金出武雄（2012）『独創はひらめかない「素人発想，玄人実行」の法則』日本経済新聞出版社。
熊澤光正（2011）『トヨタ生産方式の創始者 大野耐一の記録』三恵社。
クレイトン・クリステンセン（2001）『イノベーションのジレンマ 増補改訂版』玉田俊平太監修，伊豆原弓訳，翔泳社。
グロービス経営大学院編著（2014）『新版グロービス MBA リーダーシップ』ダイヤモンド社。
ジョン・P・コッター（2002）『企業変革力』梅津祐良訳，日経 BP 社。
現代公益学会編（2022）『公益叢書第七輯　SDGs とパンデミックに対応した公益の実現』文眞堂。
佐藤義信（1999）『トヨタ経営の源流―創業者・喜一郎の人と事業』講談社文庫。
渋沢栄一（1916），渋澤 健監修（2021）『論語と算盤』ウェッジ。
D・J・ティース（2019）『ダイナミック・ケイパビリティの企業理論』菊澤研宗，橋本倫明，姜 理恵訳，中央経済社。
冨山和彦（2020a）『コーポレート・トランスフォーメーション 日本の会社をつくり変える』文藝春秋。
豊田英二（2000）『決断-私の履歴書』日本経済新聞出版。
長尾真先生紫綬褒章受章・総長就任祝賀会編（1998）『長尾 真教授 教授退官記念誌』京都大学。
南場智子（2013）『不格好経営—チーム DeNA の挑戦』日本経済新聞出版。
西山圭太（2021a），冨山和彦・解説『DX の思考法　日本経済復活への最強戦略』文藝春秋。
野口 均（2016）『トヨタを創った男 豊田喜一郎』ワック。
畑村洋太郎（2005a）『失敗学のすすめ』講談社文庫。
畑村洋太郎（2007）『決定学の法則』文藝春秋文庫。
畑村洋太郎（2010）『失敗学実践講義　文庫増補版』講談社文庫。
畑村洋太郎（2014）『図解　使える失敗学』KADOKAWA。
畑村洋太郎（2022）『新 失敗学 正解をつくる技術』講談社。
馬場粂夫（1966）『落穂拾い』日立製作所。
馬場粂夫（1981）『同　新装版』日立製作所。
濱口哲也（2009）『失敗学と創造学—守りから攻めの品質保証へ』日科技連出版社。
日立製作所編（2007）『日立中央研究所 65 年の歩み』日立製作所。
吉野 彰（2020）『特別授業　ロウソクの科学』NHK 出版（別冊 NHK100 分 de 名著読書の学校）。
エリック・リース（2012）『リーン・スタートアップ』井口耕二訳／伊藤穣一解説，日経 BP。
【論文・記事】
境 新一（2013）「近代日本におけるプロデューサーとしての渋沢栄一：公利公益の哲学とその意義に関する考察」『成城大学経済研究』201 号，47-77 頁。
境 新一（2021a）「ポスト・コロナにおける新事業創造のプロデュース手法：素人発想・玄人実行，ブレインマップによる原点回帰と価値創造の提案」『成城大学経済研究』233 号，41-85 頁。
堀内 勉（2021a）「今求められる渋沢栄一という思想　SDGs の未来と『論語と算盤』」2021/04/05。
堀内 勉（2021b）「渋沢栄一　士魂商才を貫いた先駆者」『時空旅人別冊』。
Granovetter, M. (1973), The Strength of Weak Ties, *American Journal of Sociology*, 78.
【紙媒体・配布資料】
境 新一（2020）「新事業創造のためのプロデュース手法」『成城学びの森オンデマンド秋冬講座』配布資料。
境 新一（2021b）「原点回帰と創造のための発想法入門—現在・過去・未来の事業視点から—」『成城学びの森オンデマンド春夏講座』配布資料。
境 新一（2021c）「ポスト・コロナにおける SDGs ／ DX の展開と新事業創造—ブレインマップを活用して—」『成城学びの森オンデマンド秋冬講座』配布資料。
【インターネット・URL・電子媒体資料】
下東勝博 半導体理工学研究センター（2010）「日立における「落穂拾い」—失敗に学ぶ姿勢」2010.08.06，https://xtech.nikkei.com/dm/article/CAMPUS/20100729/184687/（最新参照 2021 年 10 月）。
嶋田 毅／グロービス経営大学院（2015）「ジョン・コッターのリーダーシップ論と変革の 8 段階のプロセス」2015 11.14　https://globis.jp/article/2239（最新参照 2021 年 10 月）。
冨山和彦（2020b）「両利き経営を実現する コーポレート・トランスフォーメーション」日本取締役協会　https://www.jacd.jp/news/column/column-opinion/201010_post-229.html　2020 年 10 月 10 日（最新参照 2021 年 10 月）。
冨山和彦（2020c）「コーポレートガバナンス」Vol.4-2020 年 8 月号掲載。

TOKAI（(株）ザ・トーカイ）(2018)「『五なぜの法則』元祖「トヨタ生産方式」に基づいた「なぜなぜ分析」の進め方」作成：2011/07/14，改定：2018/07/04，http://www4.tokai.or.jp/advi-qc/p01.htm（最新参照 2021 年 10 月）。

トヨタ自動車（2022）Web「トヨタ自動車 75 年史 もっといいクルマをつくろうよ」日本経済新聞デジタルメディア。

西山圭太（2021b）「DX の思考法　日本経済復活への最強戦略」 https://aty800.com/highest-goal/books/dx-thinking-method.html（最新参照 2021 年 5 月）。

畑村洋太郎（2005b）「失敗知識データベースの構造と表現」(「失敗まんだら」失敗学会　http://www.shippai.org/fkd/inf/mandara.html　2005（平成 17）年 3 月（最新参照 2021 年 10 月)。

日立評論　創刊 100 周年記念サイト　https://100years-company.jp/articles/topics/060352（最新参照 2021 年 10 月)。

日立評論　創刊 100 周年記念サイト「Innovators　社会イノベーションの進化を牽引するグローバル R&D」 https://www.hitachihyoron.com/jp/100th/innovators/chapter_01/index.html （最新参照 2021 年 10 月)。

持田卓臣（2021）「安定企業こそ目指すべき「両利きの経営」によるニューノーマル対応型企業」2021.1.15（最新参照 2021 年 5 月）(株）ベンチャーネット（venture-net.co.jp） https://www.venture-net.co.jp/virtualblog/19187。

第Ⅱ部　【理論編】

【書籍】

今泉浩晃（1987）『創造性を高めるメモ学入門』日本実業出版社。

梅棹忠夫（1969）『知的生産の技術』岩波書店。

大野耐一（1978）『トヨタ生産方式―脱規模の経営をめざして』ダイヤモンド社。

川喜田二郎（1967）『発想法』中央公論社。

川喜田二郎（1970）『続発想法-KJ 法の展開と応用』中公新書。

北川達夫（2005）『図解フィンランド・メソッド入門』経済界。

齋藤嘉則（2010）『新版 問題解決プロフェッショナル「思考と技術」』ダイヤモンド社。

外山滋比古（1977）『知的創造のヒント』講談社。

野口悠紀雄（1995）『「超」整理法』中央公論社。

野中郁次郎・竹中弘高（1995）『知的創造企業』梅本勝博訳，東洋経済新報社。

畑村洋太郎（2005a）『失敗学のすすめ』講談社文庫。

畑村洋太郎（2010）『失敗学実践講義　文庫増補版』講談社文庫。

馬場粂夫（1966）『落穂拾い』日立印刷所。

三谷宏治（2012）『超図解　全思考法カタログ』ディスカバー・トゥエンティワン。

ケネス・R・アンドルーズ（1976）『経営戦略論』山田一郎 訳，産業能率短期大学出版。

ハーバート・A・サイモン（1999）『システムの科学　第 3 版』稲葉元吉・吉原英樹訳，パーソナルメディア。

T・ブザン／B・ブザン（2013）『マインドマップ』近田美季子訳，ダイヤモンド社。

ティム・ブラウン（2014）『デザイン思考が世界を変える』千葉敏生訳，早川書房。

ジェフリー・ロスフィーダー（2016）『日本人の知らない HONDA』依田卓巳訳，海と月社。

W・ヤング　(1988)『アイデアのつくり方』今井茂雄訳，CCC メディアハウス。

Brown, Tim, and Barry, Katz (2009), *Change by Design: How Design Thinking Transforms Organizations and Inspires Innovation*, New York：Harper Business.

Osborn, Alex (1942), *How To Think Up*, McGraw-Hill Book Co.
Osborn, Alex (1952), *Wake Up Your Mind—101 ways to develop creativeness—* Charles Scribner's Sons, NEW YORK, Charles Scribner's Sons, LTD. NEW YORK.
【論文・記事】
境 新一（2021a）「ポスト・コロナにおける新事業創造のプロデュース手法：素人発想・玄人実行，ブレインマップによる原点回帰と価値創造の提案」『成城大学経済研究』233号，41-85頁。
【インターネット・URL・電子媒体資料】
小林三郎（2012）「第4回：天才でなくともイノベーションを達成できる」『日経クロステック』https://xtech.nikkei.com/dm/article/FEATURE/20120629/225956/?P=2（最新参照2022年2月）。
失敗学会（2005）「失敗知識データベース」 http://www.shippai.org/fkd/inf/mandara.html（2022年2月最新参照）。

第Ⅱ部　【素人発想・玄人実行編】

【書籍】
金出武雄（2003）『素人のように考え，玄人として実行する』PHP研究所。
金出武雄（2012）『独創はひらめかない「素人発想，玄人実行」の法則』日本経済新聞出版社。
境 新一（2017）『アート・プロデュース概論』中央経済社。
境 新一編著，齋藤保男・加藤寛昭・丸 幸弘・塚田周平・臼井真美（2020）『アグリ・アート』中央経済社。
境 新一（2021d）『アート・プロデュース概論　2刷』中央経済社。
齋藤嘉則（2010）『新版 問題解決プロフェッショナル「思考と技術」』ダイヤモンド社。
長尾真先生紫綬褒章受章・総長就任祝賀会編（1998）『長尾 真 教授 教授退官記念誌』京都大学。
早野龍五（2021）『「科学的」は武器になる―世界を生き抜くための思考法―』新潮社。
日立製作所編（2007）『日立中央研究所65年の歩み』日立製作所。
三谷宏治（2012）『超図解　全思考法カタログ』ディスカバー・トゥエンティワン。
横田尚哉（2012）『ビジネススキル・イノベーション「時間×思考×直感」67のパワフルな技術』プレジデント社。
エリック・リース（2012）『リーン・スタートアップ』井口耕二訳・伊藤穣一解説，日経BP。
スティーヴン・レヴィット／スティーヴン・ダブナー（2015）『0ベース思考 どんな難問もシンプルに解決できる』櫻井祐子訳，ダイヤモンド社。
Robson, Mike (1988), *Brainstorming Problem-solving in groups* (3rd ed.), Aldershot, Hampshire, UK.
【論文・記事】
境 新一（2021a）「ポスト・コロナにおける新事業創造のプロデュース手法：素人発想・玄人実行，ブレインマップによる原点回帰と価値創造の提案」『成城大学経済研究』233号，41-85頁。
福永 泰・竹内 薫（2006）「イノベーションを加速する「協創」の力：知の融合を柱とする，新たな研究所のあり方」『日立評論』Frontline vol.5，4-7頁。
【紙媒体・配布資料】
境 新一（2020）「新事業創造のためのプロデュース手法」『成城学びの森オンデマンド秋冬講座』配布資料。
境 新一（2021b）「原点回帰と創造のための発想法入門―現在・過去・未来の事業視点から―」『成城学びの森オンデマンド春夏講座』配布資料。
境 新一（2021c）「ポスト・コロナにおけるSDGs／DXの展開と新事業創造―ブレインマップを活

用して―（境講座）」『成城学びの森オンデマンド秋冬講座』配布資料。
境 新一・谷 真哉・榎本 正（2018）「ブレインマップ，検討資料」。
境 新一・谷 真哉・榎本 正（2019）「ブレインマップ，検討資料」。
境 新一・谷 真哉・榎本 正（2020）「ブレインマップ，検討資料」。
境 新一・谷 真哉・榎本 正（2021）「ブレインマップ，検討資料」。
長尾 真（2021）「連載，先生，質問です！」情報処理学会・会誌『情報処理』Vol.62，No.8。
福永 泰（2021）所蔵資料。
【インターネット・URL・電子媒体資料】
金出武雄（2006；2007）「問題解決の7か条」インタージャーナル（聞き手：桂木行人）（株）メディアエンジニアリング，2006-2007年［全7回］ http://www.mec.gr.jp/INTER/inter.html（2022年2月最新参照）。
CEDEC（2016）「素人のように考え，玄人として実行する。―画像を調理する：面白く，役に立ち，ストーリーのある研究開発のすすめ―」基調講演・金出武雄 https://www.4gamer.net/games/999/G999905/20160824134/（2022年2月最新参照）。

第Ⅲ部

【紙媒体・配布資料】
境 新一（2020）「新事業創造のためのプロデュース手法」『成城学びの森オンデマンド秋冬講座』配布資料。
境 新一（2021b）「原点回帰と創造のための発想法入門―現在・過去・未来の事業視点から―」『成城学びの森オンデマンド春夏講座』配布資料。
境 新一（2021c）「ポスト・コロナにおけるSDGs／DXの展開と新事業創造―ブレインマップを活用して―」『成城学びの森オンデマンド秋冬講座』配布資料。
日本大学第三学園（2020）同窓会誌『星ヶ丘』，12-13頁。

本書全体

【書籍】

荒木博行（2021）『世界 失敗製品図鑑』日経 BP。
今泉浩晃（1988）『超メモ学入門 マンダラートの技法―ものを「観」ることから創造が始まる』日本実業出版社。
梅棹忠夫（1969）『知的生産の技術』岩波書店。
大野耐一（1978）『トヨタ生産方式―脱規模の経営をめざして』ダイヤモンド社。
金出武雄（2003）『素人のように考え，玄人として実行する』PHP 研究所。
金出武雄（2012）『独創はひらめかない「素人発想，玄人実行」の法則』日本経済新聞出版社。
川喜田二郎（1967）『発想法』中央公論社。
川喜田二郎（1970）『続発想法-KJ 法の展開と応用』中公新書。
北川達夫（2005）『図解フィンランド・メソッド入門』経済界。
熊澤光正（2011）『トヨタ生産方式の創始者 大野耐一の記録』三恵社。
現代公益学会編（2022）『公益叢書第七輯 SDGs とパンデミックに対応した公益の実現』文眞堂。
齋藤嘉則（2010）『新版 問題解決プロフェッショナル「思考と技術」』ダイヤモンド社。
境 新一（2017）『アート・プロデュース概論』中央経済社。
境 新一（2018）『現代企業論 第 5 版』，文眞堂。
境 新一編著，齋藤保男・加藤寛昭・丸 幸弘・塚田周平・臼井真美（2020）『アグリ・アート』中央経済社。
境 新一（2021d）『アート・プロデュース概論 2 刷』中央経済社。
佐藤義信（1999）『トヨタ経営の源流―創業者・喜一郎の人と事業』講談社文庫。
渋沢栄一（1916），渋澤健監修（2021）『論語と算盤』ウェッジ。
田所雅之（2019）『入門 起業の科学』日経 BP。
戸部良一・寺本義也・鎌田伸一・杉之尾孝生・村井友秀・野中郁次郎（1991）『失敗の本質―日本軍の組織論的研究』中公文庫。
冨山和彦（2020a）『コーポレート・トランスフォーメーション 日本の会社をつくり変える』文藝春秋。
外山滋比古（1977）『知的創造のヒント』講談社。
豊田英二（2000）『決断―私の履歴書』日本経済新聞出版。
日本経済新聞社（2019）『日経 業界地図 2020』日本経済新聞出版。
日本経済新聞社（2020）『日経 業界地図 2021』日本経済新聞出版。
長尾 真（1998）『教授退官記念誌』長尾真先生紫綬褒章受章・総長就任祝賀会編。
南場智子（2013）『不格好経営―チーム DeNA の挑戦』日本経済新聞出版。
西山圭太（2021）冨山和彦・解説『DX の思考法 日本経済復活への最強戦略』文藝春秋。
野口 均（2016）『トヨタを創った男 豊田喜一郎』ワック。
野口裕二編（2009）『ナラティヴ・アプローチ』勁草書房。
野口悠紀雄（1995）『「超」整理法』中央公論社。
野中郁次郎・竹中弘高（1995）『知的創造企業』梅本勝博訳，東洋経済新報社。
早野龍五（2021）『「科学的」は武器になる』新潮社。
畑村洋太郎（2005a）『失敗学のすすめ』講談社文庫。
畑村洋太郎（2007）『決定学の法則』文藝春秋文庫。
畑村洋太郎（2010）『失敗学実践講義　文庫増補版』講談社文庫。
畑村洋太郎（2014）『図解 使える失敗学』KADOKAWA。

畑村洋太郎（2022）『新 失敗学 正解をつくる技術』講談社。
馬場粂夫（1966）『落穂拾い』日立製作所。
馬場粂夫（1981）『同 新装版』日立製作所。
濱口哲也（2009）『失敗学と創造学―守りから攻めの品質保証へ』日科技連出版社。
日立製作所編（2007）『日立中央研究所 65 年の歩み』日立製作所。
三谷宏治（2012）『超図解 全思考法カタログ』ディスカヴァー・トゥエンティワン。
横田尚哉（2012）『ビジネススキル・イノベーション「時間×思考×直感」67 のパワフルな技術』プレジデント社。
吉野 彰（2020）『特別授業 ロウソクの科学』NHK 出版（別冊 NHK100 分 de 名著読書の学校）。
H・I・アンゾフ（1985）『企業戦略論』広田寿亮訳，産業能率大学出版部。
ケネス・R・アンドルーズ（1976）『経営戦略論』山田一郎訳，産業能率短期大学出版。
A・オスボーン（1968）『想像の翼をのばせ―創造力をきたえる 101 の方法』桑名一央訳，実務教育出版。
チャールズ・A・オライリー／マイケル・L・タッシュマン（2019）『両利きの経営』入山章栄監訳／冨山和彦解説／渡部典子訳，東洋経済新報社。
クレイトン・クリステンセン（2001）『イノベーションのジレンマ―技術革新が巨大企業を滅ぼすとき』玉田俊平太監修，伊豆原弓訳，翔泳社。
グロービス経営大学院編著（2014）『新版グロービス MBA リーダーシップ』ダイヤモンド社。
ジョン・P・コッター（2002）『企業変革力』梅津祐良訳，日経 BP 社。
ハーバート・A・サイモン（1999）『システムの科学 第三版』稲葉元吉・吉原英樹訳，パーソナルメディア。
D・J・ティース（2019）『ダイナミック・ケイパビリティの企業理論』菊澤研宗，橋本倫明，姜 理恵訳，中央経済社。
ロラン・バルト（1979）『物語の構造分析』花輪 光訳，みすず書房。
トマ・ピケティ（2014）『21 世紀の資本』山形浩生訳，守岡桜訳，森本正史訳，みすず書房。
T・ブザン／B・ブザン（2000）『人生に奇跡を起こすノート術―マインド・マップ 放射思考』田中孝顕 訳，きこ書房。
T・ブザン／B・ブザン（2013）『マインドマップ』近田美季子訳，ダイヤモンド社。
ティム・ブラウン（2014）『デザイン思考が世界を変える』千葉敏生訳，早川書房
J・W・ヤング（1988）『アイデアのつくり方』今井茂雄訳，TBS ブリタニカ。
マリー=ロール・ライアン（2006）『可能世界・人工知能・物語理論（叢書記号学的実践）』岩松正洋訳，水声社。
エリック・リース（2012）『リーン・スタートアップ』井口耕二訳・伊藤穣一解説，日経 BP 社。
スティーヴン・レヴィット／スティーヴン・ダブナー（2015）『0 ベース思考 どんな難問もシンプルに解決できる』櫻井祐子訳，ダイヤモンド社。
ジェフリー・ロスフィーダー（2016）『日本人の知らない HONDA』依田卓巳訳，海と月社。
Buzan, Tony and Buzan, Barry (1996), *The Mind Map Book: How to Use Radiant Thinking to Maximize Your Brain's Untapped Potential* (reprint ed.), New York：Plume.
Brown, Tim, and Barry, Katz (2009), *Change by Design: How Design Thinking Transforms Organizations and Inspires Innovation,* New York：Harper Business.
Brown, T. and R. Martin (2015), *Design for Action,* HBR, September.
Christensen, Clayton M. (1997), *The Innovator's Dilemma: When New Technologies Cause Great Firms to Fail,* Harvard Business School Press.
Feldman, Anna (2015), *Why We Need to Put the Arts Into STEM Education* (Jun 16, 2015) Web site.

Gonzalez, H. B. and J. J. Kuenzi (2012), *CRS Report for Congress Prepared for Members and Committees of Congress Science, Technology, Engineering, and Mathematics* (STEM) Education : A Primer (2012-Aug-1).

O' Reilly, III, Charles A. and Tusman, Michael L. (2016), *Lead and Disrupt: How to Solve the Innovator's Dilemma.*

Osborn, Alex (1942), *HowTo Think Up*, McGraw-Hill Book Co.

Osborn, Alex (1952), *Wake Up Your Mind—101 ways to develop creativeness*— Charles Scribner's Sons, NEW YORK, Charles Scribner's Sons, LTD., NEW YORK.

Robson, Mike (1988), *Brainstorming Problem-solving in groups* (3rd ed.), Aldershot, Hampshire, UK.

【論文・記事】

境 新一（2013）「近代日本におけるプロデューサーとしての渋沢栄一：公利公益の哲学とその意義に関する考察」『成城大学経済研究』201 号，47-77 頁。

境 新一（2015）「アート・プロデュース論の枠組みとその展開―アートからビジネスへの実践事例を通して―」『組織学会大会論文集』J-Stage，Vol.4，No.1，145-150 頁。

境 新一（2021a）「ポスト・コロナにおける新事業創造のプロデュース手法：素人発想・玄人実行，ブレインマップによる原点回帰と価値創造の提案」『成城大学経済研究』233 号，41-85 頁。

境 新一（2022）「ポスト・コロナにおける社会変革と新事業創造のための発想法―原点回帰と公益の実現を目指して―」『公益叢書第七輯』文眞堂，第 1 章，5-35 頁。

畑村洋太郎・中尾政之・飯野謙次（2003）「失敗知識データベース構築の試み」『情報処理』2003 年 7 月，44 巻 7 号，733-740 頁。

福永 泰・竹内 薫（2006）「イノベーションを加速する「協創」の力：知の融合を柱とする，新たな研究所のあり方」『日立評論』Frontline vol.5，4-7 頁

堀内 勉（2021a）「今求められる渋沢栄一という思想 SDGs の未来と『論語と算盤』」2021/04/05。

堀内 勉（2021b）「渋沢栄一 士魂商才を貫いた先駆者」『時空旅人別冊』。

ティム・ブラウン／ロジャー・マーティン（2016）「IDEO 流 実行する組織のつくり方」『DIAMOND ハーバード・ビジネス・レビュー』倉田幸信訳，4 月，62-71 頁。

DIAMOND ハーバード・ビジネス・レビュー（2015）「特集 人工知能」2015 年 11 月ほか，各論稿。

March, James G. (1991), Exploration and Exploitation in Organizational Learning, *Organization Science*, Vol.2, No.1, pp.71-87.

【紙媒体・配布資料】

金出武雄（2006；2007）「問題解決の 7 か条」http://www.mec.gr.jp/INTER/inter.html（2022 年 2 月最新参照）。

小林三郎（2012）「第 4 回：天才でなくともイノベーションを達成できる」『日経クロステック』https://xtech.nikkei.com/dm/article/FEATURE/20120629/225956/?P=2（2022 年 2 月最新参照）。

境 新一（2020）「新事業創造のためのプロデュース手法」『成城学びの森オンデマンド秋冬講座』配布資料。

境 新一（2021b）「原点回帰と創造のための発想法入門―現在・過去・未来の事業視点から―」『成城学びの森オンデマンド春夏講座』配布資料。

境 新一（2021c）「ポスト・コロナにおける SDGs ／ DX の展開と新事業創造―ブレインマップを活用して―（境講座）」『成城学びの森オンデマンド秋冬講座』配布資料。

境 新一・谷 真哉・榎本 正（2018）「ブレインマップ検討資料」。

境 新一・谷 真哉・榎本 正（2019）「ブレインマップ検討資料」。

境 新一・谷 真哉・榎本 正（2020）「ブレインマップ検討資料」。

境 新一・谷 真哉・榎本 正（2021）「ブレインマップ検討資料」。

失敗学会（2005）「失敗知識データベース」 http://www.shippai.org/fkd/inf/mandara.html（2022年2月最新参照）。

総務省（2019）「情報通信白書 令和元年版」174-188頁。

長尾 真（2021）「連載，先生，質問です！」情報処理学会・会誌『情報処理』Vol.62，No.8。

福永 泰（2021）所蔵資料。

チャールズ・マーシャル・境 新一（2021）『Lead and Disrupt：How to Solve the Innovator's Dilemma』』試訳と手記。翻訳・同時通訳（英国人）横浜市政策局政策課（2018）「横浜市中期4か年計画 2018〜2021」。

CEDEC（2016）「素人のように考え，玄人として実行する。—画像を調理する：面白く，役に立ち，ストーリーのある研究開発のすすめ—」基調講演・金出武雄 https://www.4gamer.net/games/999/G999905/20160824134/（2022年2月最新参照）。

NEDO技術戦略研究センター（2020）「コロナ禍後の社会変化と期待されるイノベーション像」新エネルギー・産業技術総合開発機構，「自分らしい独立・開業 アントレ」リクルートホールディングス，各年。

【インターネット・URL・電子媒体資料】

青木勇気（2011）「「物語」とは何であるか」 http://agora-web.jp/archives/1416793.html 2011.12.24（最新参照2021年5月）。

インタージャーナル（2006；2007）創造力の7か条（聞き手：桂木行人）金出武雄の「問題解決の7か条」，（株）メディアエンジニアリング，2006-2007年［全7回］ http://mec.gr.jp/INTER/kanade/kanade1.html 以下（最新参照2021年5月）。

外務省「JAPAN SDGs Action Platform」 https://www.mofa.go.jp/mofaj/gaiko/oda/sdgs/index.html（最新参照2021年5月）。

金出武雄（2006；2007）「問題解決の7か条」 http://www.mec.gr.jp/INTER/inter.html（2022年2月最新参照）。

木村恭子（2018）「旭化成名誉フェロー吉野氏「歴史たどり近未来を予測」若者と考える未来 大志をつなぐ」2018.12.11. https://www.nikkei.com/article/DGXMZO38740560Q8A211C1TY4000/（最新参照2021年5月）。

国際連合広報センター「持続可能な開発目標（SDGs）とは」 https://www.unic.or.jp/activities/economic_social_development/sustainable_development/2030agenda/（最新参照2021年5月）。

小林三郎（2012）「第4回：天才でなくともイノベーションを達成できる」『日経クロステック』 https://xtech.nikkei.com/dm/article/FEATURE/20120629/225956/?P=2（2022年2月最新参照）。

失敗学会（2005）「失敗知識データベース」 http://www.shippai.org/fkd/inf/mandara.html（2022年2月最新参照）。

嶋田 毅／グロービス経営大学院（2015）「ジョン・コッターのリーダーシップ論と変革の8段階のプロセス」2015 11.14 https://globis.jp/article/2239（最新参照2021年10月）。

下東勝博 半導体理工学研究センター（2010）「日立における「落穂拾い」—失敗に学ぶ姿勢」2010.08.06. https://xtech.nikkei.com/dm/article/CAMPUS/20100729/184687/（最新参照2021年10月）。

冨山和彦（2020b）「両利き経営を実現する コーポレート・トランスフォーメーション」日本取締役協会 https://www.jacd.jp/news/column/column-opinion/201010_post-229.html 2020年10月10日（最新参照2021年10月）。

冨山和彦（2020c）「コーポレートガバナンス」Vol.4-2020年8月号掲載。

トヨタ自動車（2012）「トヨタ自動車75年史 もっといいクルマをつくろうよ」，日本経済新聞デジタルメディア。

ドライバータイムズ（2018）「原点回帰が必要な理由・仕事のモチベーションを上げる方法・効果」2018.7.5　https://driver-times.com/driver_work/driver_biz/1055333（最新参照2021年5月）。

内閣府（2015）「第五期科学技術基本計画」（2016～2020年度）　https://www8.cao.go.jp/cstp/kihonkeikaku/index5.html（最新参照2021年5月）。

畑村洋太郎（2005b）「失敗知識データベースの構造と表現」（「失敗まんだら」失敗学会　Web http://www.shippai.org/fkd/inf/mandara.html　2005（平成17）年3月。（最新参照2021年10月）。

日立評論　創刊100周年記念サイト　https://100years-company.jp/articles/topics/060352（最新参照2021年10月）。

日立評論　創刊100周年記念サイト「Innovators　社会イノベーションの進化を牽引するグローバルR&D」　https://www.hitachihyoron.com/jp/100th/innovators/chapter_01/index.html（最新参照2021年10月）。

ブレインパッド・DOORS編集部「DXはSDGsにどう関連する？持続可能な未来とDX」　https://www.brainpad.co.jp/doors/news_trend/dx_sdgs/2020.12.22（最新参照2021年9月）。

持田卓臣（2021）「安定企業こそ目指すべき「両利きの経営」によるニューノーマル対応型企業」2021.1.15　venture-net.co.jp，https://www.venture-net.co.jp/virtualblog/19187/（最新参照2021年5月）。

文部科学省（2018）「Society5.0に向けた人材育成～社会が変わる，学びが変わる～」2018.6.　http://www.env.go.jp/policy/keizai_portal/B_industry/frontrunner/index.html（最新参照2021年5月）。

山本太郎（2020）「歴史が教えること」寄稿，2020 3.16.　https://www.nishinippon.co.jp/item/n/592363/（最新参照2021年5月）。

吉野　彰（2019）「ノーベル化学賞 吉野彰さん 開発秘話と未来への思い」2019.10.10　https://www.nhk.or.jp/gendai/articles/4340/index.html（最新参照2021年5月）。

BuzzFeed（2021）「巻き込まれる人生というのも捨てたものではない」（聞き手：千葉雄登）2021.3.8　https://www.buzzfeed.com/jp/yutochiba/hayano-ryugo-1（最新参照2021年5月）。

CEDEC（2016）「素人のように考え，玄人として実行する。基調講演・金出武雄「画像を調理する：面白く，役に立ち，ストーリーのある研究開発のすすめ」」2016.8.24，　https://www.4gamer.net/games/999/G999905/20160824134/

The Highest Goal/ATY-Japan　西山圭太『DXの思考法　日本経済復活への最強戦略』　https://aty800.com/highest-goal/books/dx-thinking-method.html（最新参照2021年5月）。

NHK（2019）「ノーベル化学賞 吉野彰さん 開発秘話と未来への思い」2019.10.10　https://www.nhk.or.jp/gendai/articles/4340/index.html（最新参照2021年5月）。

TOKAI（(株）ザ・トーカイ）（2018）「『五なぜの法則』元祖「トヨタ生産方式」に基づいた「なぜなぜ分析」の進め方」（2018）作成：2011/07/14，改定：2018/07/04　http://www4.tokai.or.jp/advi-qc/p01.htm（最新参照2021年10月）。

事項索引

【数字・アルファベット】

【ア行】

【カ行】

【サ行】

【タ行】

【ナ行】

【ハ行】

【マ行】

【ラ行】

【ワ行】

人名索引

【ア行】

【カ行】

【サ行】

【タ行】

【ナ行】

【ハ行】

【マ行】

【ヤ行】

【ラ行】

著者紹介

境　新一（さかい・しんいち）

執筆分担：第Ⅰ部【概要編】【注目の書籍　解題編】1，4-8，10-15／第Ⅱ部【理論編】2-⑷，2［全体編集］【素人発想・玄人実行編】

1960年東京生まれ。慶應義塾大学経済学部卒業，筑波大学大学院ならびに横浜国立大学大学院修了，博士（学術）。専門は経営学（経営管理論，事業創造論），法学（会社法）。（株）日本長期信用銀行・調査役，東京家政学院大学/大学院助教授を経て現在，成城大学経済学部/大学院教授。指定管理者選考員会委員長（世田谷区，相模原市）ほか公的職務，現代公益学会副会長。生協パルシステム理事（有識者），桐朋学園大学，筑波大学大学院，法政大学，中央大学大学院ほか各兼任講師（歴任を含む）。主著『現代企業論』『企業紐帯と業績の研究』『法と経営学序説』((以上，文眞堂)，『アート・プロデュースの技法』『アート・プロデュースの冒険』（以上，論創社），『アグリ・ベンチャー』『アート・プロデュース概論』『アグリ・アート』（以上，中央経済社）。また，現代公益学会編『公益叢書』では執筆＆編集を担当。起業支援の経聴塾にて講師，「成城学びの森コミュニティカレッジ」講師／さがみはら産業創造センター（SIC）経営塾コメンテータとして10年超にわたり活動，現在に至る。

谷　真哉（たに・まさや）

執筆分担：第Ⅰ部【注目の書籍　解題編】2，3，9，16／第Ⅱ部【理論編】1，2［詳細2-⑴，2-⑶］／第Ⅲ部1，3

1988年埼玉県生まれ。明星大学日本文化学部卒業後，ショッピングセンターを中心にテナント事業を展開する（株）ハピネス・アンド・ディ（3174）に入社。関東，中部，関西エリアの店舗管理・エリア管理業務に従事。現在は，ショッピングセンターの企業間関係の分析ならびに出店地域への貢献を研究テーマにしている。「成城学びの森」講座受講を経て，成城大学大学院博士前期課程修了，修士（経済学）。同大学博士後期課程に在籍中。書籍として，現代公益学会編『公益叢書　第七輯　SDGsとパンデミックに対応した公益の実現』（文眞堂）では，第Ⅱ部　第6章を担当。学会として，現代公益学会，社会・経済システム学会，組織学会，日本プロモーショナルマーケティング学会，日本マーケティング学会に所属。

榎本　正（えのもと・ただし）

執筆分担：第Ⅱ部【理論編】2［詳細2-⑵］，3／第Ⅲ部2

1933年生まれ。日本大学商学部卒業，プラスチック加工会社に入社。営業職を経て独立（株）サンプラス工業を創業。プラスチック特許製品製造，併せて包装企画，商品企画，特許考案を中心とする業務を展開。パッケージ企画として，三越や森永製菓，コロンバン等の催事用ギフトセットを製作。その他，プラスチック成型会社3社の顧問を歴任した。製品のメッセージを正確に消費者に伝えるパッケージ・メディア論（表現力・デザイン・機能性）の普及に従事。「成城学びの森」講座を10余年来，受講中。

新事業創造のための発想法
—素人発想・玄人実行にもとづくブレインマップの手法—

2022 年 8 月 25 日　第 1 版第 1 刷発行　　検印省略

著者　境　新一
　　　谷　真哉
　　　榎本　正
発行者　前野　隆
発行所　株式会社 文眞堂
東京都新宿区早稲田鶴巻町 533
電話 03(3202)8480
FAX 03(3203)2638
http://www.bunshin-do.co.jp/
〒162-0041 振替 00120-2-96437

製作・真興社

定価はカバー裏に表示してあります
ISBN978-4-8309-5185-5 C0034